Nachdem der Eberhofer Franz seinen Dienst bei der Münchner Polizei quittieren musste und in sein niederbayerisches Heimatdorf Niederkaltenkirchen strafversetzt wurde, schiebt er eine ruhige Kugel. Seine Streifegänge führen ihn meist direkt zum Wolfi auf ein Bier oder zurück an den Esstisch seiner stocktauben Oma. Erstklassig erholsam, bei all dem Zoff mit dem hanfanbauenden Vater, der den Franz mit Beatles-Dauerbeschallung noch in den Wahnsinn treibt. Und manchmal muss der Franz auch in ziemlich grausligen Fällen ermitteln. Wie zum Beispiel in der Sache mit den Neuhofers …

Rita Falk, Jahrgang 1964, geboren in Oberammergau, lebt in München, ist Mutter von drei erwachsenen Kindern und hat in weiser Voraussicht damals einen Polizeibeamten geheiratet. Mit ihren Provinzkrimis und ihren Romanen ›Hannes‹ und ›Funkenflieger‹ hat sie sich in die Herzen ihrer Leserinnen und Leser geschrieben – weit über die Grenzen Niederbayerns hinaus. Mehr unter www.rita-falk.de

Rita Falk

Winterkartoffelknödel

Ein Provinzkrimi

Deutscher Taschenbuch Verlag

Von Rita Falk
sind im Deutschen Taschenbuch Verlag
erschienen:

Dampfnudelblues (21373 und 21911)
Schweinskopf al dente (24892 und 21425)
Grießnockerlaffäre (21498)
Sauerkrautkoma (24987 und 21561)
Hannes (28001 und 21463)
Funkenflieger (26019)

Besuchen Sie Franz Eberhofer im Internet:
www.franz-eberhofer.de

Kapitel 1

Ich geh also heute zum Simmerl (Dienstag Schlachttag: Blut- und Leberwürste). Ja, und da ist dann wieder diese Pelzmütze vor der Tür gelegen. Direkt vor der Eingangstür zur Metzgerei liegt eben diese Mütze. Ich weiß gar nicht, ob ich davon schon erzählt hab. Nein, wahrscheinlich nicht. Also: das war am Mittwoch (oder Donnerstag – egal), jedenfalls bin ich wie immer mit dem Ludwig meine Runde gegangen. Wir haben da eins-fünfundzwanzig gebraucht, für eine Eins-siebzehn-Runde, was aber hier keine Rolle spielt. Freilich ist der Ludwig wie immer brav vor mir her getrottet und hat auf einmal was aufgespürt. Ist dann ein paar Schritte voraus, hat was vom Boden aufgehoben und dem Herrle brav vor die Füße gelegt. Das war wie gesagt eine Pelzmütze. Und eine ziemlich kitschige obendrein, weil mit rosa Bändern und Glitzersteinen versehen. Die lag da so vor meinen Füßen und der Ludwig hat mit dem Schwanz gewedelt und sich gefreut. Dann plötzlich schnaufte eine Frau durch den Schnee und ich hab geglaubt, das ist jetzt sicher die Besitzerin von der Mütze und die ist froh, dass wir sie gefunden haben. Das war nicht ganz so. Weil: erstens war sie nicht froh, und zweitens war es keine Mütze. Bei genauerer Betrachtung hab ich dann vermutet, dass es ein Hund war, besser Hündlein, mit einem rosa Geschirr samt Glitzersteinen. Irgendwie hat die Frau (als sie wieder schnaufen konnte) mich angebrüllt, wieso ich mein Riesenmonster nicht besser im Griff hätte. Vermutlich hat sie den Ludwig gemeint. Dann hat sie mich angebrüllt, ob ich weiß, was so ein (der Name der Hunderasse spielt hier keine Rolle) Dingsbums eben kostet und wie empfindlich die sind.

Keine Ahnung.

Die Mütze lag immer noch am Boden und machte keinen Mucks. Wenn ich den Ludwig nicht so gut kennen würde, ich wär mir nicht sicher, ob die Mütze den Transport überlebt hat. Ja, dann hat die Frau das reglose Vieh auf den Arm gehievt, hat das nasse Laub von den Pfoten gezupft und ist wütend davongestampft. Ich hab mich wirklich gefragt, wie eine so zierliche Person so dermaßen stampfen kann. Aber gut.

Wie gesagt, dieser Zwischenfall hat uns unsere Bestzeit um acht Minuten überschreiten lassen, und das ist halt ärgerlich. Hab die Frau übrigens davor noch nie gesehen. Erst hab ich gedacht, das ist so ein Tagestourist, der will halt mal raus aus der Stadt und der kleinen Töle zeigen, dass man nicht nur an Laternenmasten schiffen kann. Aber nein, es muss wohl ein längerer Aufenthalt sein, weil eben heute die Mütze vor der Metzgerei lag.

Und heute ist Dienstag. Jedenfalls geh ich rein zum Simmerl, der sagt: »Servus Franz!«, und reibt sich die blutigen Hände an der Schürze ab. Dann seh ich die Frau wieder, die Besitzerin von der Mütze eben, und die tut so, als ob sie mich nicht bemerkt.

»Ist denn das Fleisch auch alles frisch?«, fragt sie den Simmerl. Der langt ihr eine Schweinshaxe über den Tresen und sagt: »Schauns', Frau, wenns' herlangen, dann könnens' den Puls noch fühlen.« Die Frau schüttelt den Kopf und nimmt ein Paar Wiener. Dann zahlt sie und geht raus. Wie sie wieder reinkommt, sagt sie, ich soll mein Riesenmonster von ihrem Pelz nehmen. Ich schau so durchs Fenster und da liegt der Ludwig am Boden und in seiner Bauchmulde liegt die Mütze. Ich sag: »Ludwig, steh auf!«, und der Ludwig steht auf.

Die Frau nimmt das Vieh auf den Arm und geht weg. Ich frag dann den Simmerl, ob er weiß, wer das ist, und er sagt: »Ja, freilich! Das weiß doch ein jeder. Ich frag mich wirklich manchmal, Franz, wie du eigentlich der Dorfgendarm sein kannst, wennst' immer der Letzte bist, der wo was erfährt. Blut- und Leberwürstl wie immer?«

»Sind denn die Würstl auch alle frisch?«, frag ich und muss grinsen.

»Frischer geht's nicht. Die Sau ist erst heut früh an der Blutvergiftung krepiert, kam von der Leberzirrhose.«

»Heut früh sagst? Ja, frischer geht's wirklich nimmer. Dann drei Stück von jeder, wie immer. Und jetzt erzähl, was du von der Frau weißt.«

Der Simmerl schneidet die Würste ab und packt sie in die Tüte.

»Ja, die. Die hat doch das alte Sonnleitnergut geerbt, hab ich gehört. Von der Tante oder der Großtante, was weiß ich. Die war ja auch schon ein paar Jahre im Pflegeheim davor. Ich kann mich an die Alte nimmer erinnern, du vielleicht?«

Ich schüttele den Kopf. Nein, ich kann mich nicht erinnern, dass überhaupt jemals irgendwer auf dem Sonnleitnergut gewohnt hat. Das ist ja auch kein Ort zum Wohnen. Wir haben uns da ja schon als Kinder in die Hosen geschissen, wenn wir bloß über die Mauer geschaut haben. Dieses alte Gemäuer mitten im Wald. Weit und breit kein Nachbar. Unheimlich. Und jetzt wohnt da so eine zierliche Frau mit einem winzigen Hund (vermute noch immer, dass es ein Hund ist, gesagt hat sie es nicht) in diesem düsteren Kasten. Ich weiß nicht. Könnt mir auch was Schöneres vorstellen. Ja, der Ludwig kriegt dann noch eine Weiße vom Simmerl und dann gehen wir heim.

Die Oma macht uns die Blut- und Leberwürste mit Kraut und Kartoffelstampf und der Papa frisst wie ein Schleuderaffe. Hinterher braucht er ein Schnapserl für den Magen und zieht sich wieder die Beatles rein. Ziemlich laut. Und ich bin froh, dass die Oma schon taub ist und sich nicht jeden Abend den gleichen Scheißdreck anhören muss. Ich geh dann mit dem Ludwig die Runde (eins-zwanzig, ich glaub, die Würstl waren zu schwer im Magen) und danach schau ich noch auf ein Bier oder zwei zum Wolfi rein. Das ist schön.

Wie ich daheim zur Tür reinkomm, fall ich zuerst einmal über einen Zementsack. Das ist scheiße, weil jetzt mein Knie aufgeschlagen ist. Wenn ich nicht bald mal Gas geb, wird der Saustall immer ein Saustall bleiben und ich muss wieder rüberziehen ins Haus. Das will ich aber auf gar keinen Fall! Schon allein wegen den Beatles. Also muss ich mich jetzt mal zusammenreißen und mit dem blöden Umbau weitermachen. Weil, wenn der nämlich einmal abgeschlossen ist, dann ist das ein Wohnkomfort vom Allerfeinsten: 50-cm-Außenwände, Rundbogenfenster, Deckengewölbe, Offenes Wohnen mit über hundert Jahre alten Stützbalken und ebenso alten Kalksteinkacheln. Jeder Architekt würde in Zuckungen geraten. Vor den Wohnluxus jedoch hat der liebe Gott die Arbeit gestellt. Und die Materialkosten. Und den Obi.

Der Ludwig haut sich dann auf den Zementsack und schon schnarcht er. Ich stell mir den Heizstrahler an, leg mich aufs Kanapee und schlaf ein. Aufwachen tu ich dann schweißgebadet, wie immer. Weil es auf dem Kanapee ungefähr fünfzig Grad hat und im restlichen Saustall ist es knapp über dem Gefrierpunkt, wie immer. Die Drähte vom Heizstrahler sind blau und nicht mehr gelb oder orange, und wie ich den Stecker rauszieh, sprüht's überall

Funken. Nein, ich muss mit dem Umbau jetzt weitermachen, so hat das alles keinen Zweck mehr. Wenn's in der Arbeit ruhig zugeht, was aller Voraussicht und Erfahrung nach so ist, dann pack ich's jetzt an.

Am nächsten Nachmittag fahr ich die Oma zum Aldi, weil der den Zucker im Angebot hat. Die Oma kauft zwanzig Kilogramm und eine Bluejeans, weil die auch im Angebot ist.

»Der Papa braucht ganz dringend eine neue, weil ich es satt hab, den löchrigen Fetzen, den er am Leib trägt, jede Woche zu flicken«, sagt sie. Sie hört halt nicht, was sie sagt, drum ist es ziemlich laut und die anderen Einkäufer schauen alle her. Wir gehen dann an die Kasse und die Oma fragt die Frau dort: »Ist das schon eine gescheite Qualität, die Bluejeans?« Die Kassiererin sagt, einwandfrei, sie hat selber zwei, und die Oma kann sie nicht hören. Ich halte dann den Daumen so nach oben und die Oma kapiert's.

Auf dem Heimweg halt ich noch beim Obi an wegen Schrauben und Dübeln und ein paar Dämmplatten. Die Oma will nicht mit rein, weil ihr die Hühneraugen wehtun, sagt sie, und so bleibt sie halt im Auto sitzen.

Leider find ich keinen von diesen singenden, wahnsinnig geschickten, schlauen und flinken Verkäufern. Wobei das nicht ganz stimmt. Flink sind sie eigentlich schon, weil: immer, wenn ich einen entdecke – schwups – ist er auch schon wieder weg. Vermutlich zur Singstunde. Na, jedenfalls hab ich dann irgendwann mein Zeug zusammen und geh so zum Auto. Freilich hab ich, weil ja die Oma sitzen geblieben ist, den Autoschlüssel stecken lassen. Und das ist scheiße, wie sich jetzt rausstellt. Die Oma ist nämlich eingeschlafen und die Türen sind zu wegen Zentralverriegelung. Wahrscheinlich hat sie abgesperrt, damit sie nicht geklaut wird. Ja, und wenn man die Oma kennt, weiß man, da hilft kein Klopfen oder Rufen. Da hilft nur Warten. So renn ich mit dem Einkaufswagen immer um das Auto rum, wegen der Kälte. Zu weit weg will ich mich nicht entfernen (hätte ja derweil einen Kaffee trinken können in dem Bistro vom Obi – aber nein), weil: es hätte ja sein können, dass die Oma kurz aufwacht und dann bin ich beim Kaffeetrinken. Also lauf ich zweieinhalb Stunden um das Auto rum. Einmal kommt der Hausdetektiv und fragt, ob er mir helfen kann. Ich zeig ihm meinen Dienstausweis und sag, ich arbeite undercover. Er meint, dass ich nicht sehr unauffällig agiere. Und ich empfehle ihm, er soll sich jetzt lieber schleichen, weil er nämlich der Einzige wär, der grad auffällt.

Ja, und dann wacht die Oma irgendwann auf und öffnet die Tür. Es ist jetzt draußen schon stockmauernfinster und sie brüllt mich an: »Was in Dreiherrgottsnamen hast du jetzt da so lang drin gemacht?«

Jesus Christus!

Der Papa sagt hernach, die Jeans ist scheiße und sie soll sie zurückbringen und lieber noch mal zwanzig Kilogramm Zucker holen.

Später ruf ich dann den Flötzinger an und der meldet sich mit: »Gas, Wasser, Heizung Flötzinger.«

»Servus Flötzinger«, sag ich. »Nächste Woche kannst bei mir mit der Heizung anfangen. Bis dahin wär ich dann so weit, dass es halt passt.«

»Du kannst mich am Arsch lecken«, sagt er. »Ich hab nämlich jetzt vierzehn Wochen lang auf deinen Scheißauftrag gewartet. Und jetzt hab ich was anderes. Einen Riesenauftrag hab ich jetzt. Und das kann dauern.«

Danach treffen wir uns beim Wolfi und da erzählt er mir, dass er jetzt am Sonnleitnergut Gas, Wasser und Heizung macht.

»Die Auftraggeberin ist eine echte Sahneschnitte«, schwärmt er mir her. »Eine gewisse Dechampes. Dechampes-Sonnleitner, soviel ich weiß. Sagt dir das was?«

»Dechampes? Nein, nie gehört.«

»Ja, die Mutter glaub ich hat einen Franzosen geheiratet, oder so.«

»Aha.«

»Ja, und von der hab ich jetzt einen Auftrag. Einen dringenden. Und das passt jetzt ganz einwandfrei, weil nämlich mein Weib mitsamt den Kindern über die Weihnachtsferien zu den Schwiegereltern nach England fährt. Und dann«, sagt er, »wenn die Mary mit dem Ignatz-Fynn und der Clara-Jane erst mal weg ist, könnte man ja anfangen, am Sonnleitnergut das eine oder andere Rohr zu verlegen.«

Ja, mir hilft das aber auch nicht weiter, weil's mir nix nützt, wenn der Flötzinger am Sonnleitnergut Rohre verlegt.

Ich komm dann ziemlich spät heim und schlaf gleich auf dem Kanapee ein, obwohl der Papa wieder die Beatles hört (›Michelle‹). Um Viertel nach drei wach ich auf und der Papa hört immer noch Beatles. Ich geh dann mit meiner Dienstwaffe ins Haus rüber und schieß ein paarmal auf den Plattenspieler. Aus ist es mit der Michelle und tausend schwarze Scherben fliegen durchs Zimmer. Paul und George und Ringo und John sind jetzt still. Ich puste den Rauch von meiner Pistole und leg mich wieder aufs Kanapee. Kurz bevor ich einschlaf: ›Let it be‹. Offenbar funktioniert der Kassettenrecorder noch.

Mark David Chapman hat den John Lennon erschossen – Gott hab ihn selig. Sein Vater muss ein Beatlesfan gewesen sein.

Weihnachten. Heilig Abend wie immer: Kartoffelsalat und Würstl, Weihnachtsschallplatte von den Regensburger Domspatzen, Mitternacht Christmette mit der Oma. Wir schlafen wieder alle zwei ein und am Schluss weckt uns der Pfarrer, bevor er zusperrt. Das macht er jetzt seit drei Jahren. Weil: damals hat er uns nämlich vergessen in der Kirche und wie wir aufgewacht sind, haben wir mitten in der Nacht das halbe Dorf raustrommeln müssen anhand der Kirchentür.

Am ersten Feiertag kommt dann der Leopold mit seiner rumänischen Roxana und die Oma brät uns ein Ganserl. Der Papa freut sich und der Leopold tut auch so, als würd er sich freuen, die alte Schleimsau. Die Roxana redet beim Essen wieder kein Wort, zumindest nicht mit uns anderen, zum Leopold sagt sie einmal: »Läobold, kannst du Salz gäben?«, und Läobold gibt Salz. Sonst sagt sie nix. Sie richtet ein paarmal über den Tisch hinweg ihre rehbraunen Augen auf mich und klemmt eine dauergewellte Haarsträhne hinters Ohr. Irgendwann hab ich dann ihren strumpfsockigen Fuß auf meinem Gemächt, dass es mir die Augen rausdrückt. Ich muss husten und der Semmelknödel hüpft in meiner Kehle rauf und runter, rauf und runter …

Wie ich aufsteh, hängt ein lila Faden von ihrem Strumpf an meinem Reißverschluss und sie hat eine fette Laufmasche. Und obwohl die Oma später brüllt: »Schau Bub, du hast da einen lila Faden an deinem Hosenstall«, und noch später: »Schau Roxana, du hast da ein Trumm Laufmasche in deiner Strumpfhose«, merkt keiner was. Nach dem Essen macht die Oma die Küche und ich frag den Leopold, ob seine Roxana dabei nicht helfen kann. Der Leopold sagt: »Sie muss das nicht, wenn sie nicht mag.«

Und offensichtlich mag sie nicht. Stattdessen schaut sie eine Frauenzeitschrift an, mit unglaublich dürren Weibern und unglaublich hässlichen Frisuren. Ich helf der Oma dann in der Küche, und der Papa und der Leopold reden derweil über die Buchhandlung.

Danach gibt's Kaffee und einen Stollen von der Oma, und die Rosinen darin waren vorher monatelang im Vogelbeerschnaps geschwommen. Der Leopold hat ein Geschenk für die Oma und den Papa dabei, für mich keins, wie jedes Jahr. Die Oma kriegt eine neue Schürze mitsamt Topflappen, wie jedes Jahr. Und der Papa einen brandneuen Beatlesbildband mit ungefähr einer Million bisher unveröffentlichten Hochglanzfotos. Der Papa umarmt den Leopold mit Tränen in den Augen und der Leopold präsentiert mir papa-hinterrücks den Mittelfinger. Dann sagt er: »Lass uns doch zum Kaffee ein bisschen Beatles hören, Papa. Na, was meinst?«

Ich krieg gleich das Kotzen. Dann müssen wir bei Kaffee und Stollen und Beatles dem Leopold zuschauen, wie er auf der Couch sitzt mit dem Arm um die Roxana und der Hand auf ihrem Busen. Und wir müssen zuhören, wie er von seiner blöden Buchhandlung erzählt. Von irgendwelchen Schriftstellern, die mordswichtig sind und bei ihm ein- und ausgehen. Und von irgendwelchen Bestsellern, die seine Kasse ordentlich klingeln lassen.

»Sag einmal, Franz, wann hast du eigentlich das letzte Mal ein wirklich gutes Buch gelesen? Also, ›Fix und Foxi‹ nicht mitgerechnet?«, fragt er mich plötzlich mit provokantem Unterton.

»›Asterix und Obelix‹?«, frag ich zurück.

Er schüttelt den Kopf.

Verdammt!

»Lassen wir das«, sagt der Papa.

»Ja, jeder tut, was er kann, nicht wahr?«, sagt der Leopold. Und dass seine Roxana überhaupt nix mehr tun muss, sagt er. Weil die schon genug mitgemacht hat. So nach dem Motto: in Rumänien hat sie gelitten, jetzt lebt sie gut – dank ihrer Titten. Der Papa ist so stolz auf ihn und die Oma kann Gott sei Dank nichts davon hören.

Nach einer Weile fragt mich der Leopold, was denn bei mir so läuft. So jobmäßig.

»Gibt's denn da überhaupt was zu tun in dem Kaff? Weil: so viel Verbrechen wird's ja da nicht geben, oder?«

Dabei grinst er dümmlich und knetet den Busen von Miss Romania.

Er hasst mich, seit ich auf der Welt bin. Weil ich nämlich Schuld hab am Tod von der Mama, sagt er. Weil die halt gleich nach meiner Geburt gestorben ist. Irgendwie haben unsere Blutgruppen und Rhesusfaktoren nicht zusammengepasst, was weiß ich. Jedenfalls ist sie gestorben und ich bin schuld. Ich hab noch in die Windeln geschissen, da hat er mir schon gesagt, dass ich ein Versager bin. Er hat gesagt, mein ganzes Leben wär ein einziger Fehler und den ersten hätt ich schon bei der Geburt gemacht. Weil ich noch nicht mal auf die Welt kommen kann wie ein anständiger Mensch, hat er gesagt. Der Leopold ist halt ein Arschloch. Aber das hab ich erst viel später begriffen. Und es ist traurig, wenn man das über seinen Bruder sagen muss. Aber so ist es halt. Er ist ein mieser Langweiler mit dem Hang zum Hinterfotzigen. Drum ist ihm auch seine erste Frau davon. Und jetzt hat er die kleine Rumänenschlampe am Hals, die mir schon bei ihrer eigenen Hochzeitsfeier an die Hose wollte. Und ich möchte wirklich gern wissen, ob er die aus dem Puff oder aus der Zeitung hat. Er sagt ja, er hätt sie in der Buchhandlung kennengelernt. Was die wohl für ein Buch gekauft hat? Vermutlich so was wie ›Wie angele ich mir einen Buchhändler mit viel Geld und wenig Hirn‹, oder ›Raus aus dem Puff und rein in den Muff‹, oder höchstens noch ›Tausendundeine Idee für künstliche Fingernägel‹. Jedenfalls liebt der Läobold die Rumänen-Roxy und sie verarscht ihn halt. Was wiederum ein eher feiner Zug an ihr ist.

Dann, wo die Oma ins Bett geht, hören wir im Bayerischen Rundfunk die ›Heilige Nacht‹ vom Ludwig Thoma an. Die Roxana nicht, sie hat derweil einen Kopfhörer auf und feilt sich die künstlichen Nägel. Sie schaut eben lieber Fernsehen. Am liebsten Sendungen, wo frustrierte Ehefrauen kreuzdummer Männer vertauscht werden oder wo ein Zwitterding zwischen Klosterfrau und Sado-Maso-Domina irgendwelchen Kindern von Gratlerfamilien auf der stillen Treppe Zucht und Ordnung beibringt. Sozialpornos halt. Jedenfalls kann ich dann beim Radiohören den Leopold ganz exakt beobachten. Und er macht praktisch alles genauso wie der Papa. Wenn der Papa beim Zuhören lächelt, huscht auch dem Leopold ein Grinser übers Maul. Wenn der Papa glasige Augen kriegt, von all der Wehmut, quetscht sich auch der Leopold ein Tränlein aus dem Winkel. Er ist eine Schleimsau sondergleichen.

Kapitel 2

Kurz vorm Schluss vom Thoma läutet das Telefon. Und zwar das dienstliche. Ich merk's gleich gar nicht, weil's halt nicht so oft läutet und schon gar nicht in der Nacht. Genau genommen hat es in der Nacht zuletzt im April geläutet, so kurz nach drei. Es war der Simmerl, der damals angerufen hat. Weil er halt mit einem Riesenrausch im Gesicht mit seinem BMW samt Sauhänger in die Telefonzelle am Rathaus gefahren ist und hernach behauptet hat, die ist da noch nie gestanden. Die steht da schon seit der Erfindung der Telefonzellen, aber scheiß drauf. Der Simmerl hat hinterher eine neue bezahlt und die war dann nicht mehr gelb, sondern rosa. Ja, das war jedenfalls der letzte nächtliche Einsatz für mich. Und da ist es dann schon ziemlich ärgerlich, wenn's das ganze Jahr über ruhig ist, und grad an Weihnachten, wennst' so zwei, drei Glaserl Glühwein intus hast, läutet das blöde Teil. Andererseits ist es dann schon wieder ziemlich gut, weil: da schaut er jetzt nämlich blöd, der Leopold.

»Ja«, sag ich so. »Das ist halt ein verdammter Stress bei der Polizei. Da hast noch nicht einmal in der Weihnachtsnacht deine Ruh.«

Dann weck ich den Ludwig auf und wir ziehen los. Die Frau am Telefon (das ist die von neulich, die mit der Mütze, bei der der Flötzinger demnächst Rohre verlegt) hat vom Sonnleitnergut aus angerufen und war ziemlich hysterisch. Sie hat gesagt, es schleicht sich jemand ums Haus und sie hat eine Mordsangst. Und auch das Klärchen. Mir war's auch nicht grad wohl, weil mir das alte Gut ja schon als Kind gruselig war. Aber wo die da jetzt zu zweit dort sind, denk ich mir, ist es vielleicht nicht gar so schlimm. Und dann haben sie doch auch noch den Hund, wobei der vielleicht nicht so arg hilfreich ist. Aber Hund bleibt Hund. Weil: wenn jemand dem Herrle oder Fraule was tun will, wird ein jeder Hund zur Bestie. Außer vielleicht, der Täter hat eine Weiße dabei. Dann schaut's eher schlecht aus.

Jedenfalls fahren wir dann mitten in der Nacht durch den Wald und kommen schließlich am Gut an, der Ludwig und ich. Und da ist eben diese Frau Dechampes-Sonnleitner im Nachthemd mit der Mütze im Arm und passt uns schon am Gartentürl ab. Sie ist ziemlich verdattert, dass die Polizei, die wo sie gerufen hat, jetzt ich war. Weil: sie hat mich wahrscheinlich für einen Bauernlackel gehalten oder einen Gas-Wasser-Heizungs-Pfuscher, oder was weiß ich. Jedenfalls nicht für einen Bullen, das sagt sie so oder ähnlich. Dann frag ich sie, was genau passiert ist, und ob ich noch mit dem Klärchen reden kann. Weil: ich hab vermutet, das Klärchen ist ein älteres Weiblein, vielleicht die Tante oder Oma oder so. Ich hab das so geglaubt, weil meine eigene Oma immer die Leni war im ganzen Dorf, bis sie dann zu schrumpeln angefangen hat. Wie sie halt älter wird und älter, wird sie halt auch kleiner und schrumpeliger. Vorher Weintraube, später Rosine. Und wie die Oma dann Rosine war, hat sie halt nicht mehr Leni geheißen, sondern Lenerl. Weil auf winzige schrumpelige Menschen so ein -erl ganz gut passt. Hab dann also gemeint, Klärchen war früher eine Klara und da jetzt Rosine, eben nun Klärchen. Es stellt sich aber raus, dass die Mütze Klärchen heißt. Was aber auch passt, weil die auch klein ist und schrumpelig.

Ja, und dann nehm ich erst mal die Personalien auf. Natürlich nicht vom Klärchen, sondern von der Besitzerin davon. Einen Pass hat sie grad nicht zur Hand, was aber wurst ist, weil sie ja sprechen kann: Halbfranzösin, väterlicherseits. Vorname: Mercedes. Mercedes! Benz! Achtundzwanzig Jahre, eins-zweiundsechzig groß, einundfünfzig Kilo. Dunkelbraune Haare, Augenfarbe blau. Sie beantwortet alles einwandfrei.

Erst bei der Frage nach dem Brustumfang wird sie stutzig. Ich mach dann die Taschenlampe an und such im Schnee nach Fußspuren. Werde auch fündig und kann die Abdrücke sofort identifizieren. Weil halt sonst niemand im Dorf solche Quadratlatschen hat wie der Flötzinger. Die Spuren führen von der Einfahrt her auf einen Stapel Brennholz, der an einem Schupfen lehnt und einen perfekten Aufstieg auf denselben ermöglicht. Da kraxele ich dann rauf und hab einen großartigen Blick in das einzige beleuchtete Zimmer. Auf dem Schupfendach neben meinen eigenen Fußspuren: die Quadratlatschen. Ich schau mir das so an, ziemlich lang sogar, weil: will professionellen Eindruck machen. Sie steht da in dem dünnen Fetzen und friert unübersehbar kolossal. Die Mütze liegt wieder in der Bauchmulde vom Ludwig und friert genauso. Irgendwann sag ich dann: »Also, der Kerl ist da oben gestanden und hat Ihnen durchs Fenster geglotzt?«

»Genau da oben«, sagt sie und deutet auf den Schupfen.

»Wie lang ungefähr?«

»Ja, das weiß ich doch nicht. Eine Zeit lang vermutlich. Wie ich ihn dann bemerkt hab, ist er natürlich weg wie nichts.«

»Weg wie nix, also? Und beschreiben könnens' ihn nicht?«, frag ich, obwohl der Täter längst feststeht.

Sie schüttelt den Kopf.

»Es war doch stockfinster da draußen.«

Pause.

Dann: »Ich hab solche Angst.«

»Da brauchens' jetzt gar keine Angst haben, Frau, ich kümmere mich drum«, sag ich ziemlich heroisch.

Sie nickt und lächelt. Dankbar.

»Alles klar«, sag ich. »Ich werde die Angelegenheit regeln. Jetzt gehen Sie schön ins Haus, ich werde Sie morgen über den Stand der Ermittlungen informieren.«

Dann fahr ich zum Flötzinger.

Schon wie er mir die Tür aufmacht, merk ich, dass etwas nicht stimmt. Ich schrei: »Hände hoch und an die Wand!«, mit der Pistole im Anschlag. Und er nimmt die Hände hoch und geht an die Wand. Irgendwas stimmt hier nicht, da liegt was in der Luft. Genau kann ich nicht sagen, was es ist, jedenfalls zu diesem Zeitpunkt noch nicht. Der Flötzinger steht also wie ein Depp an der Wand und ich muss lachen und geh rein. Er ist barfuß und ich schau mir seine Quadratlatschen an. Kann aber nix Verdächtiges finden, außer vielleicht, dass sie ungepflegt sind. Dazu trägt er einen Trainingsanzug in grün-blau mit drei weißen Streifen und der Aufschrift: Abidas. Dämlich gefälschtes Teil vom Vietnamesenmarkt in Tschechien. Die machen sich jetzt aber auch gar keine Mühe mehr beim Fälschen. Solang es aber Leute gibt, die den Scheißdreck trotzdem kaufen (wie der Flötzinger), können sie sich die Mühe wohl auch sparen.

Wir gehen ins Wohnzimmer, da steht ein Mords-Christbaum mit dem Komplettwarenangebot vom Toys»R«Us drunter. Vom Mini-Mähdrescher mit zwölf PS und Viergangschaltung bis zum rosaroten Märchenschloss in XXL. Der Flötzinger schiebt mit dem Fuß ein paar Teile zur Seite, damit wir an die Eckbank kommen. Da setz ich mich nieder und nehm mein Diktiergerät aus der Tasche meiner dienstlichen Lederjacke. Drück auf Start und stell es auf den Tisch.

»Test, Test. Herr Flötzinger, wo waren Sie heute den ganzen Abend?«, frag ich ihn so. Er zeigt mir den Vogel, was mir wiederum wurst ist, weil man das auf dem Diktiergerät nicht sieht.

»Ich hab heute Abend die Mary mitsamt dem Ignatz-Fynn und der Clara-Jane zum Münchner Flughafen gebracht, wegen dem Besuch bei den Schwiegereltern.«

Irgendwie macht das schon Sinn, und trotzdem hab ich ein ungutes Gefühl, das von Sekunde zu Sekunde stärker wird. Ich überleg grad so, ob ich meine Waffe wieder auf ihn richten soll – da – ein Nieser. Und kein normaler, so – hatschi – nein, ich glaub, meine Nasenflügel verlassen für immer mein Gesicht. Der Flötzinger steht auf.

»Wo willst du jetzt hin?«, schrei ich ihn an.

»Ein Tempo holen, weil ich keinen Bock hab, dass hier überall deine Rotzpoppeln rumfliegen!«

Er geht und holt ein Tempo.

Mir tränen die Augen und ich reib sie mit dem Tempo. Leider nur von außen, weil ich ja innen nicht drankomm. Jucken tun sie aber auf der Innenseite. Dann reißt es mich wieder. Aber diesmal nicht einmal oder so, sondern eine wahre Nieskanonade. Ich kann praktisch gar nicht mehr aufhören und wie dann doch, sind meine Augen zugeschwollen bis auf einen winzigen Millimeter.

Mein einziger Gedanke: Tränengas! Mein Gott, der Flötzinger hat Tränengas benutzt! Grad reißt es mich wieder, da springt mich was an. Es ist wie in einem James-Bond-Film, nur, dass der Flötzinger der Bond ist und ich bin der russische Schwachkopf, den er grad fertigmacht. Es ist eine Katze, die mich jetzt anschaut. Auge in Auge, und sie ist aus Angora. Sie macht einen Buckel und setzt so abwechselnd ihre Pfoten auf meine Hose, als wär sie auf einem Stepper.

Womöglich ist es gar kein Tränengas, sondern die Katzenallergie, die ich schon seit immer habe, geht es mir jetzt so durch den Kopf. Und das Letzte, was ich sehe, sind Hunderte feiner fliegender Härchen direkt vor meinem Schädel. Dann sind die Schlitze zu und Dunkelheit für immer. Mit letzter Kraft schubs ich das blöde Vieh von meinem Schoß.

»Seit wann hast du die blöde Katze?«, muss ich jetzt fragen.

»Weihnachtsgeschenk für den Ignatz-Fynn«, sagt er. »Weihnachtsgeschenk für die Clara-Jane liegt noch im Katzenkorb und ist das Geschwisterchen.«

Mir reicht's! Ich pack das Diktiergerät ein und greif nach der Waffe.

»Bist du allergisch gegen Katzen?«, fragt mich der Flötzinger und mein Finger am Abzug wird nervös.

»Bring mich heim!«, sag ich zwischen zwei Niesern. Der Flötzinger hakt mich unter und führt mich zum Auto. Hilft mir beim Einsteigen und beim Aussteigen und bringt mich ins Haus.

Gott sei Dank ist der Papa noch auf und hört die Beatles. Leider ist auch der Leopold noch auf und hört auch die Beatles. Schaut zu, wie mich mein Hauptverdächtiger in die Küche führt und sich dann verabschiedet. Ich setz mich an den Küchentisch und der Papa macht mir einen Kamillenaufguss. Mir ist es, als würd ich über einer Tabascoflasche inhalieren und ich hab das dringende Bedürfnis, meine Augen zu kratzen. Auf der Innenseite. Weil ich aber da, wie gesagt, nicht drankomm, kratz ich sie auf der Außenseite. Sie sind geschwollen und drücken sich aus der Höhle heraus und haben die Größe von Tischtennisbällen.

Wie nix mehr hilft, weckt der Papa die Oma, und die holt aus dem Medizinschrank ein Mittel, das hilft. Das Erste, was ich durch meinen wiedererlangten Schlitz seh, ist das dümmliche Grinsen von der alten Schleimsau.

»Was schaust jetzt da so blöd, ha?«, sag ich relativ aggressiv, weil mir das jetzt gerade noch fehlt. Er sagt irgendwas von »wahnsinnig stressiger Job« und geht dann ins Bett.

Die Oma bringt mich in den Saustall rüber und legt mich aufs Kanapee. Macht den Heizstrahler an und geht raus. Jetzt erst fällt mir auf, dass ich den Ludwig vergessen hab. Der arme Ludwig sitzt noch immer im Streifenwagen, und der steht in der Auffahrt vom Flötzinger. Also wieder raus. Ich geh zu Fuß, notgedrungen, und die frische Luft tut mir gut. Der Ludwig freut sich, wie ich komm. Meine Augen sind wieder so weit offen, dass ich mit dem Auto heimfahren kann. Wie wir dann endlich so vor unserem Heizstrahler hocken, wir zwei, da geht die Tür auf und der Papa kommt rein.

»Der Flötzinger hat angerufen. Jemand hätt grad den Streifenwagen aus seiner Auffahrt geklaut«, sagt er so und geht dann wieder.

Am nächsten Tag geht's mir wieder einwandfrei, meine Augen sind nur noch rot und die Nase auch. Geschwollen ist aber nix mehr. Nach dem Frühstück nehm ich meine Ermittlungen wieder auf, obwohl Feiertag. Fahr zuerst zum Flötzinger, hüte mich aber davor, näher ans Haus zu kommen, von wegen Erfahrungswerte. Nehm also die Flüstertüte und fordere den Flötzinger auf rauszukommen.

Nix passiert.

Ich geh mit der Tüte ums ganze Haus rum und fordere auf und fordere auf und nix passiert. Die Mooshammer Liesl, wo die Nachbarin ist, schreit aus dem Fenster heraus, was denn los ist. Und ich sag: Nix! Scheinbar keiner daheim. Oder er hat sich verbarrikadiert. Da ich aber aus gesundheitlichen Gründen nicht selber die Tür aufschießen und nachschauen kann, muss ich womöglich Verstärkung anfordern. Vorher aber fahr ich noch zum Opfer. Mal schauen, wie's ihr geht.

Ich fahr also zum Sonnleitnergut, und jetzt wird's ermittlungstechnisch interessant. Weil nämlich das Auto vom Flötzinger in der Einfahrt steht. Grad will ich wieder zu meiner Flüstertüte greifen, wegen Aufforderung, da geht die Tür auf und Täter und Opfer kommen einträchtig raus. Ich geh hinter dem Streifenwagen in Deckung und greif sicherheitshalber nach meiner Waffe.

Ist aber nicht da!

Siedendheiß fällt mir ein, dass ich sie gestern Nacht, nachdem mich der Flötzinger heimgebracht hat, neben der Inhalationsschüssel auf dem Küchentisch liegen hab lassen. Na bravo! Ich lauer da also so unbewaffnet hinter dem Streifenwagen, und der Ludwig schaut mich durchs Fenster ganz mitleidig an. Es ist mir zuwider, dass er sein Herrle so sehen muss. Jetzt haben die zwei mein Auto entdeckt und der Flötzinger schreit: »Na, Franz, kannst schon wieder rausschauen aus deinen Augen, oder soll ich dich führen?«

Und dann zur Frau Dechampes-Sonnleitner, alias Benz: »Dem sind die Augen gestern zugeschwollen, mein lieber Scholli, das glaubst nicht. Der verträgt keine Katzen nicht.«

Bin dann aus meiner Deckung raus und auf die zwei zu. Dann erfahr ich, dass sich der Flötzinger das Haus angeschaut hat, wegen Gas, Wasser, Heizung, und dass er morgen mit der Arbeit dort anfängt. Dann Verabschiedung. Die Frau geht ins Haus, der Flötzinger zu seinem Auto.

So leicht kommt er mir aber nicht davon. Weil ich nämlich immer noch nicht weiß, warum er gestern Nacht um das Sonnleitnergut rumgeschlichen ist. Ich sag, dass ich jetzt mit dem

Ludwig meine Runde dreh, und er soll mitgehen. Weil: zu ihm heim können wir nicht wegen Gesundheit. Zu mir heim können wir nicht wegen Schleimsau, und der Wolfi hat noch nicht auf. Natürlich hab ich im Rathaus auch ein Dienstzimmer. Da können wir aber auch nicht hin, weil da der Bürgermeister seine Weihnachtsverwandtschaft untergebracht hat. Bleibt also nur die freie Natur. Wir wandern los.

Wir haben eins-neunzehn gebraucht, was ganz beachtlich ist, wenn man an die Weihnachtsvöllerei denkt. Der Flötzinger hat's auch gleich zugegeben und meinen Verdacht bestätigt. Hat sozusagen meine untrügliche Spürnase trotz tierhaartechnischer Beeinträchtigung nicht täuschen können. Er war eben gestern, nachdem er seine Familie der Lufthansa übergeben hat, tatsächlich auf dem Sonnleitnergut. Das hat er mir erzählt, und hat dafür eins-fünfzehn gebraucht. Ich mach's kürzer und zwar so: der Flötzinger hat nämlich sexuelle Defizite, mein lieber Schwan! Weil nämlich sein Eheweib seit der Geburt von der Clara-Jane nichts mehr wissen will von wegen *Liebet und mehret euch!*

»Weil sie die Schnauze voll hat«, sagt er.

»Sowohl von Nachwuchs als auch dem dazugehörigen Prozedere. Ich darf sie ja noch nicht einmal mehr anschauen nackig. Höchstens im Flanellnachthemd, wo ich dann aber auch drauf scheiß. Sie ist praktisch geschlechtslos seit der Clara-Jane, als hätt sie ihre Muschi gleich mit der Nachgeburt verloren«, sagt er. Und drum ist er gestern zum Sonnleitnergut. In der Hoffnung, einen Blick auf die Sahneschnitte werfen zu können, am besten nackig.

Da hat er sich aber geschnitten, der Flötzinger. Wegen der Saukälte im Haus von der Frau Benz. Weil halt keine Heizung drin ist, sondern nur ein alter Kachelofen und der zieht nicht richtig. Ich persönlich vermute ja, dass sie einfach zu dämlich zum Anfackeln ist. Aber wurst, ist jedenfalls kalt. Drum ist halt die Sahneschnitte jetzt ebenfalls im Flanell dagehockt, und die ganze Freude war dahin.

»Das war alles«, sagt er. Und nun wird er sich beeilen, dort die Heizung einzubauen, wegen der Hoffnung auf Sahneschnitte ohne Flanell. Der Flötzinger ist ein Spanner und das sag ich ihm auch.

»Das ist eine Straftat nach Paragraph 201a Strafgesetzbuch. Kann bis zu einem Jahr Gefängnis machen, und ich muss das jetzt melden, mein Freund.«

»Du hast doch gar keine Beweise. Und die Spuren im Schnee von gestern sind doch schon längst alle unkenntlich.«

»Ja, da steht halt Aussage gegen Aussage, und der Richter wird dann schon wissen, wem er was glaubt oder nicht«, sag ich so. Da schaut er jetzt aber blöd, der Gas-Wasser-Heizungs-Pfuscher. Irgendwie werden wir uns dann insoweit einig, dass ich von der Anzeige abseh und er dafür zuerst bei mir die Heizung macht. Da fängt er morgen dann an.

Nachdem der Fall geklärt ist, gehen wir zum Wolfi auf ein Bier. Weil heute Abend nämlich der Leopold samt Roxana abreist. Wegen morgen: Arbeitstag. Und erfahrungsgemäß ein sauguter. Zumal nämlich ein jeder, der ein Geld gekriegt hat vom Christkind, jetzt losrennt und ein Buch kauft. Oder zwei oder drei. Und da heißt es: Ärmel hoch und rein in die Goldgrube! Ja, und weil ich mir das Palaver darüber ersparen will, dann eben lieber zum Wolfi.

In der Früh weckt mich dann die Oma und brüllt: »Jetzt steh auf, Franz! Der Flötzinger ist da wegen der Heizung. Und heut fahren wir doch in die Stadt. Und jetzt schick dich, sonst sind die Geschäfte wieder alle zu, eh du deinen Arsch in die Höh kriegst!«

Ja, ich hab der Oma nämlich versprochen, sie nach Landshut zu fahren, wie jedes Jahr. Sie braucht eine neue Winterjacke, sagt sie. Und da wartet man halt bis nach Weihnachten, weil: da ist alles reduziert.

Jetzt ist ja Landshut keine Großstadt, ganz klar. Im Grunde genommen zwei Straßen, eine Altstadt, eine Neustadt. Wobei die Neustadt schon nicht mehr richtig zählt, wenig los da. Aber für die Oma ist so ein Ausflug nach Landshut wie eine Reise zum Mars und völlig aufregend.

Nach dem Frühstück fahren wir also los und zuerst zum K&L. Dann Karstadt. Danach C&A. Aber immer noch keine Jacke. Weil die Oma halt jetzt Rosine ist, sind ihr alle Jacken viel zu groß. Sie schaut eben auch in der kleinsten Größe aus, wie wenn sie aus einem Viermannzelt rausschauen tät. Also wieder zurück zum K&L. Da war davor eine nette Verkäuferin und die hat gesagt, wenn wir nix finden, könnten wir's ja mal in der Abteilung für Teenager versuchen. Weil die halt schmäler geschnitten sind und so. Und da hätten sie auch ganz dezente Teile, wo man gar nicht sieht, dass die für junge Leute sind.

Also wieder rein und nach der Verkäuferin gesucht. Die hat aber grad jemand anderen zu bedienen, und ich sag zur Oma, dass ich derweil bei den Herren schau.

Ich finde zwei karierte Hemden und einen grauen Pulli mit V-Ausschnitt. Alles reduziert. Irgendwann hör ich die Oma schreien: »Ja, wie viel hat die denn vorher gekostet?«

Sie steht an der Kasse und schreit die Frau dort an. Die zeigt ihr das Etikett mit den Preisen und die Oma ist zufrieden. Ich zahl dann auch meine Teile und danach gehen wir zum Kaffeetrinken. Eine Schwarzwälder und ein Haferl Milchkaffee, wie jedes Jahr.

Die Bedienung ist ungefähr der Jahrgang von der Oma und arbeitet dort seit hundert Jahren. Am Nebentisch ist ein Damenkränzchen und alle begrüßen sich mit Bussi, Bussi. Jedes Mal, wenn eine Neue dazukommt und gebusselt wird, sagt die Oma: »Ja, pfui Deife!«, ziemlich laut, versteht sich. Dann fahren wir heim. Die Oma packt die Jacke aus und schlüpft hinein. Sie passt wie angegossen, ist schwarz und auf der Rückseite steht in orangenen Buchstaben »Big girls have more fun!«.

Jesus Christus!

Aber die Oma kann ja kein Englisch.

Kapitel 3

Neuer Einsatz heute früh, auf der Baustelle Neuhofer. Straße absperren. Dazu muss ich kurz was erklären. Also, die Neuhoferbrüder haben ein Einfamilienhaus geerbt von den Eltern, und das war halt blöd. Weil ein jeder von den Zweien gern einmal eine eigene Familie gehabt hätte, sodass man schon besser ein Zweifamilienhaus gebraucht hätte.

Gesagt – getan.

Dachstuhl runter und neues Stockwerk drauf, eigentlich ganz simpel. Jetzt haben die aber den Container für den Abbruch nur auf der Gartenseite aufstellen können, weil auf der anderen Seite: Hauptstraße. Verbindungsstraße mordswichtig, sommers wie winters, rund um die Uhr, praktisch immer. Also keine Chance, drum Gartenseite. Irgendwann war der Container dann halt voll und musste entleert werden. Kein Problem, da kommt ein Kran und hievt das Teil direkt übers Haus auf die Straße, fertig. Soweit theoretisch.

Praktisch war es dann so, dass wohl die Verbindung zwischen Kran und Container nicht richtig verankert war. Unten steht der ältere der Neuhoferbrüder und – platsch –, weg war er. Flach wie ein Pfannkuchen. Oder Palatschinken, wie die Tschechen sagen. Palatschinken mit Eis und Sahne, obendrauf ein Spritzer Himbeersoße, besser geht's nicht. Da lass ich schon mal einen Schweinshaxen stehen, für einen Palatschinken. Und die Tschechen machen den so hauchdünn, da könnt man glatt eine Zeitung durch lesen. Ein Traum! Aber jetzt bin ich abgeschweift. Jedenfalls war der Neuhofer jetzt auch hauchdünn und natürlich tot und meine Aufgabe war es eigentlich nur noch, die Fahrbahn abzusperren und das Gewerbeaufsichtsamt anzurufen. Runterkratzen müssen ihn dann die Feuerwehrler. Ja, und das mit dem Zweifamilienhaus hat sich auch erledigt, Dachstuhl wieder drauf, Beerdigung, fertig.

»Keine schöne Leich, oder, Franz?«, fragt mich der Flötzinger drei Tage später beim Leichenschmaus.

»Nein«, sag ich und nehm einen Schluck Bier.

»War er recht zerdatscht, gell?«

»Kann man schon sagen.«

»Wie kriegt man jetzt so was in einen Sarg?«

»Da musst schon die Leichenfläderer fragen. Ich lang so was nicht an.«

»Mich kannst auch fragen«, sagt der Simmerl und schiebt sich ein Stück Fleisch in den Mund.

»Wieso dich?«, will der Flötzinger wissen.

»Weil ich dir ganz genau beschreiben kann, wie man aus einem Hackfleisch erstklassige Fleischpflanzerl macht. Das ist im Grunde auch nix anderes.«

»Stimmt. Erstklassige Fleischpflanzerl«, sag ich so und muss grinsen. Der Flötzinger grinst nicht, schmeißt seine Serviette in den halb vollen Teller und sucht sich den Weg zum Klo.

»Da ist er jetzt irgendwie empfindlich, gell?«, grinst mir der Simmerl her.

»Irgendwie schon«, sag ich.

Sonst war die Stimmung aber ziemlich gut, wie das halt so ist bei einem Leichenschmaus. Zuerst betretene Gesichter, dann Essen, Schnaps, Kuchen, Schnaps, dann beginnt der gesellige Teil.

Jetzt ist das ja so eine Sache mit den Neuhofers. Weil: die sterben ja an den komischsten Dingen. Die Mutter zum Beispiel. Die Mutter, muss man sagen, war schwer depressiv. Nicht immer, aber am Schluss schon. Eigentlich seitdem ihr Mann tot war. Die hat vor allem Angst gehabt. Pure Panik. Konnte ohne Antidepressiva noch nicht einmal vom ersten Stock runter. Und das hat sich dann so durch den ganzen Tag gezogen. Frisörbesuch: Panikattacke. Straße überqueren: Panikattacke. Wechsel der Jahreszeiten: Panikattacke. Da braucht man sich dann auch nicht wundern, wenn die auf einmal losmarschiert, rauf in den Wald, und sich am nächstbesten Baum erhängt, oder?

Und davor der Neuhofervater. Jetzt war der Elektromeister. Da tät man doch meinen, der kennt sich aus. Und dann trifft ihn akkurat beim Einbau vom neuen E-Herd im eigenen Haus der Stromschlag. Jetzt bin ich ja elektronisch gesehen eher ein Depp. Aber das weiß sogar ich: Sicherung raus! Er hat's wahrscheinlich vergessen. Weil: wennst' dein Leben lang Sicherung raus, Sicherung rein machst, kann das schon mal passieren. Da ist ihm praktisch die Routine zum Verhängnis geworden. Ja.

Nein, was ich eigentlich sagen wollte, die Neuhofers sterben halt nicht wie normale Leute. Sondern eher ungewöhnlich. Ja, vielleicht sogar dramatisch. Da könnte man schon auf komische Gedanken kommen. Jeder Krimi-Autor würd sich nach so einem Stoff die

Finger lecken. Aber Unfall bleibt Unfall, und sei er noch so tragisch. Am Ende ist jetzt nur noch der Hans da. Und wer weiß, was dem noch bevorsteht!

Am Abend kocht die Oma ein saueres Lüngerl. Danach hab ich das dringende Bedürfnis, das jetzt runterzuspülen. Ich weiß nicht, ob's das Lüngerl war oder eher der hauchdünne Neuhofer, jedenfalls geh ich zum Wolfi. Kaum hab ich mein Bier, kommt auch schon der Flötzinger, weil's ihm halt schon fad ist daheim, so ohne Familie. Kaum hat der sein Bier, geht die Tür auf und die Frau Benz kommt rein, mitsamt der Mütze. Der Ludwig freut sich und die Mütze auch. Die Frau Benz eher nicht, die schreit nämlich den Flötzinger an. Warum er nicht, wie vereinbart, gekommen ist wegen der Heizung. Sie sagt, es ist saukalt und sie erfriert, wenn er jetzt nicht bald kommt. Ich frag sie, ob ich ihr meinen Heizstrahler leihen soll, aber sie mag nicht.

Der Flötzinger sagt, sie soll sich beruhigen und erst einmal was trinken. Und das war dann ein Gezeter, das glaubt man nicht! Weil sie nämlich einen Chardonnay will.

Und der Wolfi sagt: »Hab ich nicht!«

Der Benz ist fassungslos.

»Dann nehm ich eben einen Prosecco«, sagt sie.

Der Wolfi: »Prosecco hab ich auch nicht.«

Sie gibt nicht auf: »Ein Glas Rotwein vielleicht?«

Der Wolfi, sichtlich erleichtert: »Ah, da hab ich einen guten Lambrusco.«

Die Frau, jetzt schon ziemlich verzweifelt: »Lambrusco ist doch kein Rotwein. Jedenfalls nicht im klassischen Sinn.«

Im klassischen Sinn!

Der Flötzinger: »Doch, doch. Einen Lambrusco trink ich immer am Gardasee, weil da das Bier so teuer ist. Der ist nicht schlecht.«

Die Frau schaut den Flötzinger an, als würden Regenwürmer aus seinem Mund kommen. Dann schaut sie sich die Schnapsflaschen an, im Regal hinter dem Tresen, und bestellt einen Asbach-Cola mit Eis.

Eis hat der Wolfi nicht, gibt es aber nicht zu. Geht raus und schlägt von den Eiszapfen an der Dachrinne ein paar Stücke ab und fertig.

Irgendwie macht die Frau einen wirklich unplatzierten Eindruck hier. Wirkt ja praktisch wie ein Porzellan im Elefantenladen.

Später kommt dann die Sprache wieder auf die blöde Heizung. Der Flötzinger hat natürlich ein schlechtes Gewissen, weil er ja zuerst meinen Auftrag fertig machen muss, sonst Knast. Aber er verspricht ihr, dass er trotz großer Auftragslage am Montag bei ihr anfängt. Ich sag, dass er jetzt, wo der Neuhofer-Auftrag geplatzt ist, doch sowieso ein Loch hat. Und der Flötzinger sagt, dass er überhaupt keinen Auftrag vom Neuhofer gehabt hat. Das find ich komisch, weil man hier bei uns im Dorf immer die einheimischen Handwerker nimmt. Andererseits ist das nicht mein Problem, und die Frau freut sich sowieso, wenn sie jetzt nicht mehr frieren muss.

Dann kommt der Simmerl. Er hat zwar keine Schürze um, aber sein Metzgerhemd ist blutverschmiert. Das ist dem Simmerl aber wurst. Er bestellt ein Bier und eine Runde Kümmerling. Die Frau schaut ihn recht angewidert an und ich weiß nicht, ob es am Kümmerling liegt oder an dem blutverschmierten Hemd.

Nach ein paar Kümmerling ist die Situation dann deutlich entspannter und die Frau trinkt mit uns Brüderschaft. Der Flötzinger sagt, dass sie gar nicht ausschaut wie ein Mercedes, sondern vielmehr wie ein Ferrari.

Das freut sie. Sie bestellt eine Runde Kümmerling. Überhaupt baggert der Flötzinger so was von auffallend, da fällt dir nix mehr ein. Wenn seine Mary das jetzt sehen könnte, die würd sich den Flanell vom Leib reißen.

Zu späterer Stunde tanzt der Ferrari zur Marianne Rosenberg an der Schulter vom Simmerl, direkt auf den Blutflecken. Da schaut er jetzt aber blöd, der Heizungs-Pfuscher.

Kapitel 4

Ein paar Tage später, ich fahr grad mit der Oma zum Aldi, weil der jetzt Sauerkirschen und Damenbinden im Angebot hat. Ich frag mich, zwecks was die Oma denn Damenbinden braucht. Wahrscheinlich ist sie nicht mehr ganz dicht. Aber wurst. Jedenfalls fahren wir eben zum Aldi und direkt am Neuhoferhaus vorbei. Da hängt ein Riesenschild am Haus, wo draufsteht: Hier entsteht in Kürze eine OTM Tankstelle.

Da frag ich mich natürlich, wieso da jetzt eine Tankstelle entsteht, wo sich doch die Bewohnerzahl des Neuhoferhauses grad erst optimiert hat. Aber sagen wir einmal so: Das Haus war ja noch nie so der Knaller. Zum Wohnen, mein ich. Weil: mordswichtige Verbindungsstraße vorm Wohnzimmer. Da vibriert nämlich dein Bierkrügerl schon gewaltig vorm Fernseher, wenn dann so die Vierzigtonner vorbeidonnern. Ja, schön ist das nicht. Aber andersrum, für eine Tankstelle natürlich der perfekte Platz. Genau zwischen Niederkaltenkirchen und Landshut, außerhalb einer geschlossenen Ortschaft. Traumstandort, wenn man so will. Aber schnell ist das jetzt schon gegangen. Wenn ich denk, dass der Bruder ja vor einer Woche noch alles andere als hauchdünn war.

Silvester. Fondue mit dem Papa und der Oma.

Bleigießen.

Jetzt gießt die Oma schon seit Jahren immer einen Penis. Weil sie halt das Blei so dermaßen langsam ins Wasser laufen lässt, dass da nix anderes dabei rauskommen kann. Also gießt die Oma wieder ihren Penis, der Papa so was wie einen Igel, wobei er behauptet, es schaut aus wie eine Krone. In der Symbolbeschreibung heißt es, die Krone bedeutet Sieger. Der Igel bedeutet was anderes. So mehr das Gegenteil. Er sagt, es ist eine Krone. Mein Blei schaut aus wie ein Hut, und ein Hut kommt überhaupt nicht vor in der Beschreibung. Um zwölf gibt's ein Glaserl Sekt und dann geht die Oma ins Bett. Der Papa hat noch eine Verabredung mit vier Jungs aus Liverpool und ich geh zum Wolfi.

Da ist die Stimmung schon gut, und wie ich komm, ist der Flötzinger grad wieder am Baggern beim Ferrari. Sie muss dann aufs Klo und der Flötzinger sagt, er muss ihr jetzt dann mal erklären, dass er sie mag. Dass er sie bumsen will, hat er ihr gleich am Anfang erklärt, sagt er. Das ist jetzt wieder typisch. Weil der Flötzinger immer die Reihenfolge verwechselt. Schon immer. Er macht gewissermaßen erst einen Knoten in den Luftballon und versucht dann, ihn aufzublasen. Unglaublich! Das hat ihm schon immer alle Weibergeschichten versaut.

Drum ist ihm halt dann auch die Mary geblieben. Nicht, dass die jetzt so hässlich wär, dass sie keinen andern abgekriegt hätte. Das nicht. Es war eher so, dass sie einfach nicht verstanden hat, was der Flötzinger so erzählt. Weil sie halt aus England kommt und damals noch kein Deutsch verstanden hat. Wie sie es dann verstanden hat, war sie schon verheiratet. Absprung verpasst, sozusagen.

Der Ferrari kommt vom Klo zurück und der Flötzinger ist nicht mehr ansprechbar.

»Ah, da bist du ja wieder! Ist alles in Ordnung?«, fragt er gleich und schmeißt seinen Arm um ihre zarte Schulter.

»Ich war auf dem Klo. Was sollte da schiefgehen?«, fragt sie zurück, merklich gebeugt von seinem Gewicht.

»Möchtest du tanzen?«

»Nein, zu heiß hier drin.«

»Oder was trinken?« Er wedelt mit dem Bierglas.

»Nein, lass mal, ich hab noch, danke.«

»Oder bumsen?«

Sie schüttelt seinen Arm ab und sucht das Weite. Der Flötzinger versteht die Welt nicht mehr, von den Frauen ganz zu schweigen, und bestellt sich ein Bier.

Der Simmerl ist auch da mit seiner Frau, der Gisela. Die Gisela ist eine dicke Metzgersfrau und unheimlich nett. Leider hat sie über der Oberlippe eine Warze und eine große noch dazu. Praktisch nicht so ein Cindy-Crawford-Teil, nein, eher das Modell Endstadium Beulenpest. Was mir wiederum wurst sein könnte, weil sie ja nicht mein Weib ist. Aber ich kann halt nicht mit ihr reden. Das heißt, reden eigentlich schon, ich kann ihr dabei nur nicht in die Augen schauen. Immer auf die Warze. Und später gibt der Simmerl eine Runde aus und sie fragt mich: »Wodka oder Whisky?«

Und ich sag: »Warze!«

Das ist mir jetzt peinlich, mein lieber Schwan! Ihr ist's überhaupt nicht peinlich, sie sagt: »Nein, mein Freund, die kriegst du nicht. Die behalt ich mir schon selber.«

Ich nehm dann einen Wodka.

Nach einer Weile bringt der Flötzinger den Ferrari heim und mich packt die Neugier. Schnapp mir dann den Ludwig und wir drehen eine Runde um die Häuser, weil ich wissen will, was die zwei so treiben.

Sie treiben gar nix. Der Flötzinger ist daheim, da brennt Licht. Und der Ferrari ist daheim. Das merk ich auch wegen Licht. Also, nix war's mit der heißen Liebesnacht. Ja, da kann der Flötzinger blasen und blasen. Solang er halt vorher einen Knoten reinmacht, wird das nichts.

Wie ich heimkomm, ich mag's schon gar nicht mehr erzählen, hört der Papa wieder die Beatles. Da ich aber jetzt eine Heizung hab, kann ich es mir erlauben, das Fenster aufzureißen. Also Fenster auf, zwei Boxen à 200 Watt aufs Fensterbrett, in Richtung Hof, und dann: Guns'N'Roses auf Höchstleistung.

Ich setz mich aufs Kanapee und der Ludwig kriegt einen Kopfhörer auf. Der kann ja nix dafür.

Es dauert dreißig Sekunden, da stampft der Papa durch den Hof in den Saustall rein. Leider kann ich nicht hören, was er sagt, weil die Musik so laut ist. Sagen tut er aber offensichtlich schon was, zumindest bewegt sich sein

Mund. Es dauert eine Zeit, bis es still ist, weil er den Schalter nicht findet. Schließlich zieht er den Stecker raus und dann ist es still. So richtig still eigentlich auch nicht, weil seine Freunde aus Liverpool drüben im Haus noch fröhlich singen.

»Sag einmal, hast jetzt du einen Vogel?«, fragt er mich.

»Nein, aber wennst' nicht gleich deine Scheißmusik abstellst, werd ich einen kriegen!«, sag ich.

Er geht, stellt ab – und Ruhe ist.

Am Neujahrsmorgen das Diensttelefon. Verkehrsunfall mit zwei Pkws. Jetzt ist das so eine Sache, weil der Fahrer von dem weißen Audi über den Mittelstreifen gekommen ist. Nicht viel, aber doch. Das kann jedem mal passieren und ist noch nicht mal ein Kavaliersdelikt. Wenn er aber über den Mittelstreifen kommt und der Gegenverkehr kommt auch über den Mittelstreifen, dann ist es halt blöd. Fahrerseite praktisch völlig im Arsch, vom Außenspiegel nicht zu reden. Ich nehm den Unfall auf und eigentlich wär's das schon gewesen, weil: jeder Teilschuld. Aber einer der Unfallverursacher war halt jetzt der Neuhofer Hans.

Was weiter auch nicht tragisch ist. Nein, gar nicht. Aber der weiße Audi A 8 ist nagelneu und der Preis ist heiß, sag ich da nur. Ja, aber wo der Neuhofer jetzt Haus und Hof der OTM Tankstelle verkauft hat, dürfte da schon ein Neuwagen erster Klasse rausspringen und sein alter Peugeot-Roller ist Geschichte. Das war jetzt aber auch noch nicht das Ding. Hat er eben ein neues Auto, der Hans. Sei's ihm vergönnt.

Was mich wirklich stutzig gemacht hat, das waren seine Nerven. Die waren nämlich am flattern, mein lieber Freund! Der war nervös, sag ich dir, der hätte am liebsten beide Schäden bezahlt und mein Jahresgehalt gleich dazu, nur um da wegzukommen. Dr. Kimble auf der Flucht – ein Dreck dagegen.

»Nicht so schnell, Neuhofer. Ich muss die Sache doch erst aufnehmen«, sag ich so.

Und er: »Ja, was willst denn da aufnehmen? Ich bin über den Mittelstreifen gekommen und zahl das jetzt. Fertig!« Nix fertig. Weil das nämlich schon komisch ist.

Weil: zuvor nämlich hab ich den Unfallgegner befragt. Das ist eine ältere Frau, käsweiß vom Schreck, und die hat mir gleich gesagt, sie wär über den Mittelstreifen gekommen. Normal ist es in solchen Fällen ja anders. Da behaupten dann beide eher, dass der andere über den Mittelstreifen gekommen ist. Immer der andere. Nie man selber. Auf gar keinen Fall. Aber die Frau hat's zugegeben und der Neuhofer auch. Zwei grundehrliche Menschen krachen mitten auf der Straße zusammen.

So weit die Idylle. Aber der Neuhofer versaut am Schluss alles. Weil er halt nur weg will. Alles bezahlen, mitsamt meinem Gehalt und weg. Ja.

»Was bist denn so nervös, Neuhofer?«, muss ich jetzt fragen.

»Ich bin nicht nervös, sondern genervt«, keift er mir her.

»Genervt also. Ja, warum bist denn so genervt?«

»Weil ich eigentlich schon genug Probleme hab. Da brauch ich jetzt nicht noch so einen saublöden Unfall.«

»Ja, wer braucht den schon? War nicht deine Woche, gell? Erst der Bruder. Dann das Auto. Schönes Auto. Neu?«

»Nagelneu«, ein tiefer Seufzer entweicht seiner Kehle.

»Nagelneu also. Hab ich mir gleich gedacht, dass der nagelneu ist – oder war. Jetzt ist er ja mehr gebraucht.«

Er schnauft tief ein und aus, ein bisschen theatralisch für meine Begriffe.

»War's das jetzt?«

»Ja, das war's fürs Erste. Du kannst fahren. Aber nur bis zur nächsten Werkstatt, verstanden?«

Er nickt.

Kapitel 5

Am Nachmittag fahr ich dann erst einmal ins Büro und schau mir die Neuhoferunterlagen vom Containerunfall noch mal genauer an. Irgendwas stimmt da nicht. Das hab ich im Gefühl. Nach fast zwanzig Jahren Polizei, da hast du halt ein Gefühl, das ist unglaublich. Untrüglich sozusagen. Und ich war ja nicht immer nur ein Dorfgendarm. Nein, ich war ja fünfzehn Jahre lang praktisch am Nabel der Welt: München PI 43, Moosacherstraße. Ja, da war was los, mein Freund! Da kriegst du ein untrügliches Gespür für nervöse Menschen.

Versetzt worden bin ich dann vor drei Jahren. Auf ausdrückliches Verlangen vom Polizeipsychologen, dem Herrn Dr. Dr. Spechtl. Ja. Der war früher einmal Hals-Nasen-Ohren-Arzt und hat dann praktisch umgeschult auf Psychologie. Polizeipsychologie genau. Weil er halt die Schnauze voll gehabt hat von Rotzglocken und Polypen. Jedenfalls hat mich der versetzt. An die Heimatfront sozusagen. Das muss ich jetzt vielleicht kurz erklären: Also, der Birkenberger Rudi und ich, wir waren ein erstklassiges Team. Dreamteam, sag ich immer. Wir haben uns verstanden so ohne ein Wort, es hat halt einfach gepasst. Irgendwann haben wir dann öfters einen Pädophilen von Stadelheim zum Gericht fahren müssen. Vier Buben und ein Mädchen gingen auf das Konto von diesem Kinderficker, eine grausige Sache. Das ist sowieso schon eine Zumutung, *so* einen im Streifenwagen sitzen zu haben. So ein mieses Stück, da musst du dich schon richtig zusammenreißen. Wenn du in den Rückspiegel geschaut hast, hat er dich immer so provokant angegrinst. Da hast du schon die Faust geballt, frag bloß nicht!

Einmal dann sind wir an einer roten Ampel gestanden und über den Fußgängerüberweg ist eine Gruppe Schulkinder gelaufen. Da fängt der Typ hinten das Stöhnen an, das kann man gar nicht erzählen. Provokant bis dorthinaus. Jedenfalls ist der Rudi dann ein wenig von der Route abgewichen und in den Wald gefahren. Und dort hat er ihn dann kastriert. Hat ihm einfach die Eier weggeschossen.

Ja, der Rudi ist dann erstens entlassen und zweitens verhaftet worden. Fünf Jahre wegen schwerer Körperverletzung. Aber das war's ihm wert, hat er gesagt. Weil er aber im Herzen ein kreuzbraver Mann ist, haben sie ihn entlassen nach zweieinhalb Jahren. Wegen guter Führung.

Und ich hab halt einen Psychologen gekriegt. Den Herrn Dr. Dr. Spechtl. Der hat mich dann hundertmal gefragt, warum ich das nicht verhindert hab, und ich hab ihm hundertmal erklärt, wenn der Rudi nicht geschossen hätte, dann hätt ich es selber gemacht.

Nach diesem Ereignis hab ich dann häufig meine Waffe im Spind vergessen. Der Spechtl sagt, das ist mein Unterbewusstsein. Weil das halt kein Risiko eingehen will, dass ich jetzt womöglich den Nächstbesten kastrier auf der Straße.

Und dann, eineinhalb Jahre später, werd ich angeschossen. In die Schulter. Bei einem Banküberfall, wo ich wieder saudummerweise meine Knarre nicht dabei hab. Und jetzt entwickelt sich alles völlig ins Gegenteil. Jetzt nämlich lauf ich ständig mit der Waffe im Anschlag durch München und bin tierisch auf der Hut, nicht angeschossen zu werden. Der Spechtl sagt: Unterbewusstsein!

Was mir praktisch wurst ist, ich mein nur, sicher ist sicher. Jedenfalls passt es weder meinen Vorgesetzten noch dem Spechtl, dass ich wie Rambo durch die Straßen zieh. Und sie meinen, wenn ich schon jemanden abknallen muss, dann halt lieber in der heimatlichen Provinz. Und so bin ich gelandet, wo ich jetzt bin. Mein Gott, das war jetzt langatmig. Aber einfach zum besseren Verständnis, damit man halt weiß, warum ich ein Dorfgendarm bin.

Jedenfalls hat mich der Neuhofer heut mit seiner Nervosität so dermaßen misstrauisch gemacht. Und drum fang ich an zu überlegen. Ich frag mich ehrlich, ob der Neuhofer nicht seine buckelige Verwandtschaft auf dem Gewissen hat. Weil: sind wir einmal ehrlich, eine Familienharmonie war das ja nie. Der Vater ein Säufer, hat oft und gern sein Weiblein verhauen. Später, wie die Buben dann schon griffig waren, auch die beiden. Die Mutter eine Heulsuse allererster Klasse. Und über ältere Brüder brauch ich dank dem Leopold sowieso nichts weiter zu sagen.

Dazu das furchtbare Wohnhaus, wo dir die Lkws dauernd durch den Suppentopf donnern. Dieses Gesamtpaket einzutauschen gegen Bares – kann man das jemandem verdenken?

Das Grundstück war ungünstig, nach hinten kurz und dafür die volle Breite an der Straße entlang. Ungünstig, sag ich nur. Aber natürlich für eine Tankstelle eben ideal. Und die hätten bestimmt gutes Geld bezahlt, weil: keine andere weit und breit.

Der alte Neuhofer hätte das Haus nie verkauft. Der hat das schon von seinen Eltern bekommen. Also muss er weg. Und die Mutter und der Bruder auch. Dreifachmord.

Ja, das sind so meine Gedanken, wo ich grad so recherchier. Ich recherchier und recherchier und plötzlich klopft die Oma ans Fenster und schreit: »Die Schwammerlsuppe ist fertig. Schau, dass du heimkommst, Bub!«

Jetzt sagt natürlich der findige Schwammerlsucher: Januar – Schwammerlsuppe? Da hat er sich aber jetzt vertan, der Franz. Da sag ich: Gefriertruhe!

Weil: wenn nämlich die Oma im Herbst zum Schwammerlsuchen geht, da steht danach kein Pilz mehr im Wald, höchstens noch Fliegenpilz. Ich fahr sie mitsamt dem Ludwig in der Früh mit dem Streifenwagen hin und hol die zwei mittags wieder ab. Und da kannst du die Oma nicht mehr sehen, vor lauter Schwammerl. Einen Teil verkauft sie dann am Markt zu horrenden Preisen und den anderen frieren wir ein. Da essen wir bis zum neuen Herbst einmal in der Woche davon. Eine Schwammerlsuppe mit Sauerrahm. Oben drauf ein bisserl Petersil. Ein Traum! Da lass ich schon einmal einen hauchdünnen Palatschinken stehen für eine Schwammerlsuppe. Also, Akten zu und heim.

Zweiter Januar. Neujahrsempfang. Die ganze Gemeinde steht vorm Rathaus und die Herren Bürgermeister und Pfarrer übertreffen sich gegenseitig mit ihrer Rederei.

So quasi, dass das letzte Jahr ein gutes war und wenn's heuer wieder so gut werden soll, muss halt ein jeder was dazutun. Also Geldbeutel auf oder Scheckheft raus. Der Flötzinger lässt sich nicht lumpen und nimmt die Version Scheckheft. Der Simmerl verspricht, wie jedes Jahr, eine Spansau und einen Rollbraten zum Bürgerfest. Erlös geht an die Pfarrei.

Der Leopold kommt mitsamt der Roxana und spendet ein paar Ladenhüter für die Bücherei. Dann singt der Kirchenchor und ganz vorne dabei die Simmerl Gisela. Ja, die kann singen, mein lieber Herr Gesangsverein! Warze hin oder her, aber wenn die Gisela singt, dann kann die Callas heimgehen. Oder könnte sie, wenn sie noch schnaufen würd – Gott hab sie selig.

Die Kinder haben bunte Lampions dabei und im Laufe des Abends fackelt der eine oder andere ab. Die Oma steht ganz vorne, mit neuer Jacke samt Aufschrift, damit sie alles sieht, weil sie ja nix hört. Der Ludwig steht neben ihr und ist ungefähr genauso groß. Hinterher kauft sie am Verkaufsstand von den Landfrauen noch ein paar Weihnachtskerzen, weil die jetzt reduziert sind.

Dann kommt noch der Flötzinger zu mir her, ist aber in Eile.

»Mir pressiert's heut ein bisserl. Weil ich nämlich die Mary mit den Kindern vom Flughafen abholen muss. Weil der Ignatz-Fynn in den nächsten Tagen nämlich den Balthasar macht bei den Königen.«

Aha.

Am Schluss gibt der Bürgermeister eine Runde Glühwein aus und dann geht man halt heim.

Daheim erzählt dann der Leopold von dem wahnsinnigen Verkaufserfolg der letzten Tage und dass sich der Umtausch heuer in Grenzen gehalten hat.

Die Roxana schaut fern. Ein Ehepaar wandert hochmotiviert nach Uruguay aus. Und dort angekommen, stellt es dann fest, dass es ein Entwicklungsland ist und spanisch geredet wird. Obwohl das doch in Amerika liegt. Herr, lass Hirn wachsen.

Die Oma macht ein paar Germknödel mit Semmelbröselbutter – ah –! Leider kann man die gar nicht richtig genießen, weil: da musst du schnell sein, mein Lieber. Der Papa und der Leopold legen ein Tempo vor, das ist unglaublich. Da bleibt dir nix anderes übrig, als den ganzen Knödel, praktisch ohne Kauen, einfach runterzuschlucken und nachzufassen.

Am Schluss ist uns allen schlecht (der Oma und der Roxana nicht), und wir trinken ein Schnapserl. Ich erzähl dann so von meinem Dreifachmord, dem Neuhoferfall eben, damit der Leopold Augen macht. Macht er aber nicht. Er grinst nur blöd und gähnt.

Dafür macht aber die Roxana Augen. Und wie ich hernach aufs Klo will, passt sie mich im Hausgang ab und steckt mir ihre Zunge in den Hals, dass ich nur so schau.

»Ja, spinnst denn du?«, muss ich sie fragen.

»Komm, Franz, du musst dich mähr äntspannen«, lutscht sie mir ins Ohr.

»Ich bin völlig äntspannt, Süße. Noch äntspannter und ich pinkel hier auf den Boden.«

Sie kichert und ich schubs sie zur Seite.

»Spielverdärbär!«, raunt sie mir nach.

In den nächsten Tagen nehm ich meine Ermittlungen wieder auf und komm zu beachtlichen Ergebnissen. Zum Beispiel hab ich mir bei dem Verkehrsunfall mit dem Neuhofer natürlich das Autohaus aufgeschrieben, wo hinten auf dem Nummernschild zu lesen war. Dort erfahr ich, dass der Neuhofer den Audi schon im August bestellt hat.

Nach einem Besuch beim Gewerbeamt und beim TÜV erfahr ich, dass der Karabiner, der den älteren Neuhoferbruder hauchdünn gemacht hat, verrostet war. Also, durchgerostet bis zum Gehtnichtmehr. Und nur mit einem Hammerite Metallschutzlack überpinselt und aufpoliert war und praktisch optisch wie neu. Leider kann ich bei der Kranfirma niemanden erreichen, weder telefonisch noch persönlich. Nur ein relativ aggressiver Schäferhund ist anwesend, und der hätte mich gerne in Stücke gerissen, wenn ich nicht vorher einen Warnschuss abgegeben hätte.

Später geh ich dann mit dem Ludwig in das Waldstück, wo sich die alte Frau Neuhofer erhängt hat. Oder vielmehr, wo der junge Neuhofer seine alte Mutter erhängt hat. Da bin ich mir jetzt sicher. Obwohl ich schon sagen muss, dass ich dem Hans so was gar nicht zugetraut hätte. Der Hans war immer ein Stiller, ein – wie soll ich jetzt sagen …? Ja, vielleicht auch nicht der Hellste. Sagen wir, so haarscharf am Dorfdepp vorbei vielleicht. Also, nie hätt ich dem so was zugetraut.

Aber trau schau wem.

Es sind eine Menge Autospuren vor Ort, weil dieses Waldstück auch ganz gern für das eine oder andere Schäferstündchen benutzt wird. Also keine Chance, noch was Brauchbares zu finden. Was aber wurst ist. Tatsache ist jedenfalls, dass der Hans seine arme Mutter hierher gefahren hat. Dann hat er sie aufgehängt. Vermutlich war sie so unter Drogen, sprich Antidepressiva, dass sie es noch nicht mal gemerkt hat. Vielleicht hat sie's sogar schön gefunden, wer weiß. Auf alle Fälle war sie hinterher tot. Genau wie der Neuhoferbruder und der Neuhofervater. Unglaublich!

Kapitel 6

Ich häng da grad so meinen Gedanken nach, da kommt der Ferrari durch den Schnee gestapft. Mit der Mütze und einem Unbekannten. Männlich, eins-achtzig, blond, schlank, unsympathisch.

»Klaus, ein Freund und Architekt«, stellt sie ihn vor.

Aha.

»Franz, ein Freund und Polizist«, stellt sie mich vor. Jawohl.

Dann erfahr ich, dass sie jetzt die eine oder andere Umbaumaßnahme vornehmen will im Sonnleitnergut. Und der Unsympath soll ihr architektonisch dabei helfen. Wir gehen zusammen ein paar Meter, bis zu der Stelle, wo ihr Wagen steht. Und, mein lieber Schwan, das ist ein Schwätzer, das kann man gar nicht erzählen. Ein gebürtiger Leipziger und allein sein Dialekt ist schon schmerzensgeldtauglich.

Wie ich dann heimkomm, ist die Oma ganz aufgeregt. Weil: beim Deichmann gibt's drei

Paar Schuhe zum Preis von zwei. Also zum Deichmann mitsamt dem Papa.

Auf dem Parkplatz weit und breit keine Lücke. Offensichtlich braucht jetzt ein jeder ganz dringend drei Paar neue Schuhe.

Der Papa und die Oma steigen schon mal aus und ich dreh so meine Runden. Irgendwann kann ich endlich parken und drängel mich durch den verstopften Eingang. Schuhe, wohin man schaut. Du kannst deinen Fuß nicht mehr vor den anderen setzen, ohne auf irgendwelche Latschen zu latschen.

Ganz hinten: die Oma. Nicht, dass ich sie sehen tät, sondern weil ich sie hör. Die Verkäuferin versucht gerade mit Händen und Füßen und einer Engelsgeduld dem Papa und der Oma zu erklären, dass bei diesem Angebot das jeweils billigste Paar umsonst ist. Davon will die Oma nix wissen. Sie will das teuerste Paar umsonst.

Jesus Christus!

Ziemlich schnell wird's der Verkäuferin dann zu blöd und sie sucht sich einen anderen Kunden. Der Oma wird's bald auch zu blöd, sie hievt dem Papa drei Kartons auf den Arm und geht zur Kasse. Bezahlen tut sie zwei. Und sie freut sich. Auf den Schachteln steht: Größe 36, 41 und 42. Jetzt haben der Papa, die Oma und ich alle drei die gleichen roten Moonboots. Der Papa freut sich auch, weil: einem geschenkten Gaul schaut man nicht ins Maul.

Am Abend kommen die Sternsinger und singen. Das heißt, zuerst kommen sie und tun nur so, als ob sie singen. Das seh ich so durchs Fenster. Sie stehen also vor der Oma und bewegen nur ihren Mund. Weil sie halt wissen, dass die Oma nix hört. Was sie aber nicht wissen, ist, dass die Oma schon merkt, wenn einer nur so tut als ob. Das merkt sie allein schon am Luftzug. Weil der natürlich ganz anders ist, wenn man singt, als wenn man nur die Lippen bewegt. Sie haut dann dem Ignatz-Fynn mit dem Fuß gegen das Schienbein und dann singt der, frag nicht! Hinterher gibt sie eine wirklich kleine Spende und die Buben malen mit Kreide ihren Servus an die Tür.

Tags darauf erreich ich endlich den Besitzer von der Kranfirma. Sie heißt Krawall GmbH, wegen Kran und Wallner – wie der Inhaber heißt. Der Wallner steht vor einem Wohnwagen, der sich als sein Büro entpuppt, und raucht. Der Schäferhund steht vor ihm, und wie er mich sieht, dann dahinter. Der Wallner selber ist ein pockennarbiges Gesicht, so der

Typ Schrottplatzlätschn, und schaut mich mit zugekniffenen Augen an.

»Was wollen Sie hier?«, fragt er.

»Den Kranführer«, sag ich. »Und die Personalien. Die von Ihnen und die vom Fahrer.«

Er gibt mir seinen Ausweis und ich notiere.

»Der Fahrer müsste in ein paar Minuten hier sein«, sagt er. Ich kann warten.

»Die Karabiner. Von wem werden die eigentlich ausgetauscht? Und wann?«, möchte ich jetzt wissen.

»Das machen die Kranführer selber. Ganz nach Gefühl.« Nach Gefühl also.

»Und wo genau werden die Ersatzteile gelagert?«

Er deutet mit dem Kinn nach vorn.

»Also!«, sag ich, und wir wandern übern Hof direkt in eine alte Baracke. Da sind unzählige Behälter, unter anderem einer mit Karabinern.

»Sind die alle neu?«

»Alle neu!«, sagt er mit der Kippe im Mundwinkel.

»Die muss ich jetzt beschlagnahmen«, sag ich.

»Von mir aus.«

Er zuckt mit den Schultern. Wir schleppen

den schweren Behälter gemeinsam zum Auto, und das steht dann hecklastig.

Dann kommt der Kranführer. Skender Gashi. Ein Albaner. Jetzt muss man natürlich wissen, dass die Albaner alle Gashi heißen. Na gut, nicht alle vielleicht. So ein Müller, Meier und Huber in Deutsch ist halt ein albanischer Gashi. Der Herr Gashi versteht kein Deutsch, sagt er, und das Pockengesicht nickt. Ich bestell den Gashi für morgen zu mir ins Büro und organisier einen Dolmetscher. Jetzt muss ich wahrscheinlich noch erwähnen, dass der Gashi ausschaut wie hundert Jahre Zuchthaus und meine Erfahrungswerte, was den Wahrheitsgehalt einer albanischen Aussage betrifft, sind nicht grad rosig.

Abends beim Wolfi ist der Ferrari da mitsamt dem Ossi-Klaus. Der Flötzinger auch, und der ist eingeschnappt wegen Konkurrenz und macht ein finsteres Gesicht. Er sagt, er hat den Arsch heute schon kennengelernt. Beim Heizung einbauen. Und dass der ein unglaublicher Gschaftelhuber ist und alles besser weiß. Hernach muss ich ihm recht geben, dem Flötzinger. Weil uns der Klaus nämlich aufgeklärt hat über das wahre Leben, mein lieber Schwan! So haben wir dann erfahren, dass die Lehmhütten von damals viel besser isoliert waren wie heute jedes Dämmstoffhaus, dass die Erderwärmung von der Tabakindustrie kommt, dass der Vatikan von der Mafia regiert wird und die Merkel ferngesteuert ist. Also gar kein echter Mensch, sozusagen, sondern ein amerikanischer Roboter, der direkt aus dem Weißen Haus heraus gesteuert wird. Da sitzt dann so der Obama mit der Fernbedienung und …

Er erzählt das schon lustig. Schon so, dass man lachen muss. Was aber auch wieder eher nervt, weil wir ihn ja eigentlich nicht mögen mögen.

Wie er uns dann noch erzählen will, dass die Erde aller Wahrscheinlichkeit nach doch eine Scheibe ist, gehen wir heim.

Kann dann leider nicht einschlafen, weil der Ludwig jetzt Blähungen kriegt, frag bloß nicht. Ich mach das Fenster auf und wieder zu, auf und zu, und irgendwann geb ich's dann auf. Schlaf also mit offenem Fenster und werd in der Früh mit einer doppelseitigen Bronchitis wach.

Na, bravo.

Schlepp mich dann zum Doktor und in die Apotheke und bin grad noch rechtzeitig im Büro, ehe der Dolmetscher kommt. Er heißt

Gashi (hab ich's nicht gesagt), schaut aus wie hundert Jahre Zuchthaus und ist nach eigener Aussage weder verwandt noch verschwägert mit dem Kranführer.

Fünfundzwanzig Minuten später kommt der Gashi. Also der andere, der Kranführer halt. Die zwei begrüßen sich und ich fang an.

Jetzt war es dann so, dass auf jede Fünf-Wort-Frage von mir ein albanischer Redeschwall folgt, das kann man gar nicht glauben. Dass diese Sprache so umfangreich ist, praktisch mindestens das zehnfache Ausmaß hat wie die deutsche. Unglaublich. Und auch unglaublich, dass die immer was zu grinsen haben, die zwei. Besonders, wenn sie mich anschauen.

Irgendwann pack ich den Dolmetscher dann am Kragen.

»Hey, was gibt's denn da immer zu lachen, mein Freund? Und was erzählt er dir denn so alles Schönes, der Herr Kranführer?«

Und schon hab ich ein Messer am Hals.

Ich zieh meine Waffe und dann machen wir weiter.

Ich hab ihn ganz fest im Visier, und schließlich übersetzt er dann auch.

»Wer nimmt die Karabiner aus den Behältern?«, ist meine erste Frage.

Die albanische Version spar ich mir hier.

»Das mach ich selber.«

»Und wann?«

»Immer wenn ich welche brauch.«

»Sind Ersatzteile im Kran?«

»Ja, so zwei oder drei hab ich immer dabei.«

»Auch aus dem Behälter?«

»Woher wohl sonst?«

»Hey!«

Waffe, Messer, weiter.

»Wann werden die Karabiner überprüft?«

»Nach jedem Einsatz.«

»Und von wem?«

»Na, von den Kranführern natürlich. Oder denken Sie, wir haben da ein Prüfungskomitee?«

Der Dolmetscher übersetzt. Grinsend. Arschloch.

»Wie lange ist der Kran seit dem letzten Einsatz am Firmengelände gestanden?«

Er überlegt, ziemlich lange, kratzt sich am Hirn und sagt schließlich: »Drei Tage.«

»Und wer hatte Zutritt dazu?«

»Im Grunde jeder, der keine Angst vor dem Gorbatschow hat.«

Ja, wunderbar! Jetzt wird das auch noch politisch!

»Was genau hat jetzt der Gorbatschow damit zu tun?«, muss ich jetzt fragen.

»Der Schäferhund. Ich meine, im Grunde kann ein jeder auf das Firmengelände, der keine Angst vor dem Schäferhund hat.«

Der Schäferhund also.

Es braucht aber niemand eine Angst haben vorm Schäferhund, wenn er eine Knarre dabeihat.

Oder eine Weiße. Ja.

Nein, was ich eigentlich sagen wollte, der Karabiner hat ausgeschaut wie neu, jeder hätte ihn austauschen können und Albanisch ist eine ganz grausame Sprache.

Jetzt bin ich zugegebenermaßen ziemlich krank und huste und huste, das kann man kaum glauben, und schleppe mich doch noch schnell in die Gemeindeverwaltung.

Die Susi sagt: »Ja, wie schaust denn du aus?«, und misst mein Fieber mit ihrem Mund.

Dazu muss ich kurz sagen, die Susi ist erstens eine von unseren Verwaltungsdamen und zweitens meine erste Liebe.

Oder Liebelei.

Oder sagen wir so, sie hat's mir halt beigebracht. Jawohl, das hat sie. Mit allen Schikanen sondergleichen. So ab und zu, wenn's uns grad reißt, fallen wir immer noch übereinander her.

Heute eher nicht, wegen doppelseitiger Bronchitis. Heute wird's dann eher beruflich.

»Du Susi, weißt du eigentlich, wo der Neuhofer Hans jetzt wohnt, seit er sein Elternhaus der OTM überlassen hat?«

»Ja, freilich weiß ich das«, nickt die Susi und sie sagt's mir auch: »Der Hans hat jetzt eine Wohnung in Landshut. Wart, ich schreib dir die Adresse auf«, sagt sie und tippt was in ihren PC.

»Schaust heut noch auf einen Sprung bei mir vorbei? Dann könnt ich dich ein bisschen pflegen?«, schnurrt sie und gibt mir einen Zettel.

»Nein«, sag ich. »Pflegen tut mich die Oma. Ich meld mich, wenn ich wieder brauchbar bin.«

Daheim pflegt mich dann die Oma, und das macht sie gut. Weil, nach jahrelanger Erfahrung mit drei Männern (den Leopold nicht zu vergessen und der war ein Weichei, das glaubst du nicht), nach dieser Erfahrung eben, weiß sie halt, was man so braucht: einen Umschlag und einen Tee, ein paar Wolldecken, Wärmflasche, Fieberthermometer, heiße Milch mit Honig, zwei oder drei Dampfnudeln mit Vanillesoße, einen Rotwein mit Eidotter, zur guten Nacht ein warmes Bier. So einfach ist das! Und am spätestens übernächsten Tag bist du wieder fit, rundum.

Zwei Tage später fahr ich dann zur neuen Bleibe vom Neuhofer. Landshut Stadtmitte Hinterhof. Eineinhalbzimmerwohnung im ersten Stock. Er macht mir die Tür auf und wird nervös. Fragt mich, was ich hier will, und ich schieb ihn zur Seite.

Einrichtung spärlich, praktisch nicht vorhanden. Eine Matratze am Boden, unzählige Kartons. Ich schau mich so um, schalt mein Diktiergerät ein und frag den Neuhofer, wann er den Entschluss gefasst hat, seine Familie auszurotten. Er fragt, ob ich jetzt durchdreh, und lacht. Nervös, sag ich dir. Ich verhör also weiter und verhör und verhör. Bringen tut es alles nix. Weil der nervöse Neuhofer halt sagt, er hat niemanden umgebracht, alles Unfälle. Tragisch natürlich, aber eben passiert. Er hat damit nix zu tun und aus.

Hinterher fahr ich in die PI Landshut und geb die sichergestellten Karabiner ab zur Überprüfung. Ein Kollege hilft mir beim Reintragen.

Den kenn ich von früher aus meiner heißen Münchner Zeit und den haben sie auch versetzt. Wir hauen einen Ratsch heraus und dann muss ich auch schon heim. Weil die Oma heut nämlich ein Kartoffelbratl macht, für den Leopold. Weil der heut Geburtstag hat. Der Papa möchte, dass wir ihn im Hof begrüßen. Wie das Auto kommt, stehen wir quasi als Empfangskomitee vor der Tür, alle drei in den roten Moonboots. Der Leopold schmeißt sich weg vor Lachen, und ich bin froh, dass ich nicht bewaffnet bin.

Jetzt muss ich sagen, dass mich diese ganze Ermittlerei schon ziemlich beschäftigt. Weil es ja sonst eher ruhig zugeht in meinem Dienstbereich. Ab und zu ein Verkehrsunfall oder ein Mann haut seine Frau, aber sonst eher ruhig. Und jetzt ein Dreifachmord! Ein Stress, das kann man gar nicht sagen. Ich kann praktisch an gar nix anders mehr denken. Das geht sogar so weit, dass ich meine Runde dreh und den Ludwig daheim vergess. Ich hab nur einszwölf gebraucht, weil ich erstens nicht warten hab müssen, bis der Ludwig sein Innerstes nach außen kehrt, und zweitens hab ich's schon bei achtunddreißig gemerkt, dass ich ihn eben vergessen hab. Und dann aber, im Sauseschritt, mein lieber Schwan! Aber es war schon zu spät. Der Ludwig ist nämlich ein Psychopath, was so was angeht. Weil: wie er sich damals vor zwei Jahren den Hinterlauf gebrochen hat, sind halt alle um ihn herumschlawenzelt. Und das hat ihm natürlich saugut gefallen. Er hat's dann recht schnell herausgehabt. Die Nummer mit der Pfote. Praktisch, sobald er hinkt, sind alle mordsbesorgt und er genießt die ungeteilte Aufmerksamkeit völlig schamlos. Und seitdem fängt er an zu hinken, wenn er sich vernachlässigt fühlt, der Ludwig.

Also, ich komm heim und er hinkt schon. Hinkt so durch den Hof und macht mir ein vorwurfsvolles Gesicht, der Pharisäer. Bin dann die blöde Runde natürlich noch einmal gelaufen, eins-achtundzwanzig, weil ich schon ziemlich fertig war zugegebenermaßen.

Beim Heimgehen ist es schon stockmauernfinster. Auf den letzten paar Metern kommt uns der Neuhofer auf seinem alten Peugeot-Roller entgegen. Ich hab ihn zwar kaum gesehen, wegen Dunkelheit. Aber dieses Geknatter, das kennt man ja im ganzen Dorf. Und das ist sowieso seine Strecke. Oder zumindest war sie das, solang er hier noch gelebt hat. Vom Vereinsheim Rot-Weiß Niederkaltenkirchen, was seine zweite Heimat ist, zu sich heim. Den Waldweg hat er immer genommen, wenn er nach dem Fußballtraining einfach zu viel gebechert hat, der Hans. Und vermutlich nimmt er nun auf seinem neuen Heimweg gerne den Umweg in Kauf, um auch weiterhin zu viel bechern zu können.

Ja, das muss man jetzt schon einmal sagen, Fußballspielen kann der, das ist unglaublich. So gut wie ein jeder Schuss ein Tor. Obwohl er schon auch manchmal ins falsche trifft. Ins falsche Tor, mein ich. Besonders nach der Halbzeit. Da war's immer besonders schlimm. Nach der Halbzeit hast du drauf wetten können, dass der Hans ein Eigentor schießt. Er hat sich das einfach nicht merken können: Halbzeit – Seitenwechsel.

Ja, wie gesagt, der Hellste war er noch nie. Aber die Fans vom Rot-Weiß haben sich dann irgendwann hinter das eigene Tor gestellt und immer, wenn der Hans drauflos gestürmt ist, haben sie »Neiiiiin!« geschrien. Das hat er dann schon kapiert, der Hans. Und jetzt muss er augenscheinlich (oder ohrenscheinlich, weil: gesehen hab ich ihn ja nicht) wieder Roller fahren. Vermutlich steht sein nagelneuer OTM-Audi in der Reparaturwerkstatt.

Wie ich heimkomm, ist der Flötzinger da mitsamt seiner Rechnung für die Heizung. Er steht da im Hausgang, mit seinem Abidas-Trainingsanzug und den Quadratlatschen, und ratscht mit dem Papa. Ich schau mir den Betrag an und mir drückt's die Augen raus.

»Ich knall dich ab, du Halsabschneider!«, schrei ich ihn an.

»Lass einmal schauen«, sagt der Papa und nimmt mir das Papier aus der Hand.

»Ja«, sagt er. »Knall ihn ab!« Und geht.

Der Flötzinger grinst und ich frag ihn, ob er mit auf ein Bier zum Wolfi geht. Weil mir nach drei Stunden Waldlauf jetzt schon ziemlich der Durst hochkommt.

»Nein, das geht nicht, weil ich heim muss zu der Mary«, sagt er. Und dann erfahr ich, dass er heim muss wegen *Liebet und mehret euch*!

»Weil nämlich die Simmerl Gisela der Mary erzählt hat von Silvester. Dass ich halt den Ferrari angemacht hab, dass es eine wahre Freude war. Die Mary hat sich aber nicht sehr gefreut darüber. Eher geärgert. Nachdem sie dann das ganze Geschirr kurz und klein geschlagen hat, quasi Dampf abgelassen, hat sie sich den Flanell vom Leib gerissen und ist scharf geworden wie Nachbars Lumpi.«

So hat er's erzählt, der Gas-Wasser-Heizungs-Pfuscher. Und jetzt lebt er im Paradies und kann die ganze Nacht lang nudeln, so viel wie er mag.

Ist – scheint's – was dran: Konkurrenz belebt das Geschäft.

Bin dann noch kurz allein zum Wolfi und da steht der Ferrari und trinkt einen Prosecco! Den hat der Wolfi extra für sie besorgt, sagt er, und sie freut sich. Sie trinkt also den Prosecco und erzählt, dass jetzt ihr Urlaub vorbei ist und sie wieder zurück muss nach München.

»Ich komm dann an den Wochenenden her, weil ja das Haus so nach und nach fertig werden soll. Weil nämlich meine Eltern im Sommer aus Quebec zu Besuch kommen. Bis dahin soll alles so sein, dass es halt passt«, sagt sie.

Dann erscheint der Architekten-Ossi. Und bevor der wieder seine Lach- und Sachgeschichten mit dem Klaus zum Besten gibt, brech ich auf.

Kapitel 7

Am nächsten Tag fahr ich zuerst einmal nach Landshut ins Amtsgericht. Ich brauch eine Durchsuchungserlaubnis für den Neuhofer. Für das Haus, bevor es die OTM niederwalzt, und für die hundert Kartons in seiner neuen Wohnung. Jetzt muss ich sagen, der Richter Moratschek, der zuständig ist, ist eine Seele von Mensch. Schwer schnupftabaksüchtig und immer ein paar Krümel Gletscherprise im Gesicht. Reden tut er, als wär ihm die Nase zugetackert, wegen kaputter Schleimhäute, aber wie gesagt, eine Seele. Wir sitzen da so in seinem Büro und ich erklär ihm meinen Dreifachmord.

»Lieber Eberhofer«, sagt er. »Meinens' nicht, dass Sie sich jetzt da in was verrennen? Schauns', außer, dass der Neuhofer jetzt ein neues Auto hat, haben wir doch nix. Und das ist nicht strafbar, gell. Ein neues Auto darf ein jeder haben«, sagt er und nimmt eine Prise.

»Aber finden Sie das normal, dass innerhalb von ein paar Wochen drei von vier Familienmitgliedern abschmirgeln?«, frag ich.

»Normal! Was heißt jetzt da normal? Ja, glauben Sie denn wirklich, dass irgendwas normal ist, von dem, was ich den ganzen Tag lang hier mach?«, sagt er.

Dann schüttelt er mir die Hand und sagt, ich soll wiederkommen, wenn ich was Brauchbares hab.

Anschließend fahr ich zum Neuhofer. Leider niemand daheim. Ich mach mich grad wieder auf den Rückweg, und kurz vor Niederkaltenkirchen kommt er mir entgegen. Mit dem neuen A8. Ich kehr um und fahr ihm hinterher. Wie er mich sieht, tritt er aufs Gas und zieht ab, dass ich nur so schau.

Blaulicht an und Sirene.

Kurz vor Landshut muss er runter vom Gas, und da hab ich ihn fast. Die haben da so einen Verkehrskreisel gebaut, einwandfreie Sache, weil: da kann ein jeder fahren und keiner muss lang an der Ampel stehen. Da fährt er dann rein, der Neuhofer, und nicht mehr heraus. Dreht Runde um Runde und ich hinterher. Mir wird langsam schwindlig, und plötzlich ist er weg. Bei mir dauert's noch ein bisschen, wegen Schwindel, aber dann fahr ich auch aus dem Kreisel. Leider kann ich jetzt nicht genau sagen, in welche Richtung dass er weg ist. Und so fahr ich zu mir ins Büro. Jetzt ist er fällig! Ich ruf gleich den Moratschek an, kann ihn aber leider nicht erreichen, weil er grad in einer Verhandlung ist. Ich sag der Frau am Telefon, er soll mich unbedingt dringend zurückrufen.

Zurückrufen tut er dann nicht, der Richter, dafür aber der Herr Dr. Dr. Spechtl. Der ruft nämlich jetzt an, weil er sich Sorgen macht.

»Weil mir nämlich zu Ohren gekommen ist, dass Sie ermitteln. Und zwar in einer Sache, die jeglicher Grundlage entbehrt«, sagt er. Und dass ich einen hilflosen Dolmetscher mit der Waffe bedroht hab. Auf aggressivste Art und Weise.

Und dann kommt er mir wieder mit den alten Kamellen. Und dass ich doch nicht so enden will wie der Birkenberger Rudi, sagt er. Und wenn ich drüber reden will, steht er mir Tag und Nacht zur Verfügung, der Spechtl. Einfach kurz anrufen. Nur keine Hemmungen, sagt er. Dann legt er auf.

Mir wird jetzt die Sache langsam zu blöd, und ich mach mich auf den Heimweg. Unterwegs schlag ich noch schnell das Kellerfenster vom Neuhoferhaus ein und schau mich drinnen mal um. Wenn das jetzt dann sowieso abgerissen wird, kann eine kaputte Fensterscheibe doch eh keinen mehr stören, denk ich mir so. Drinnen schaut's aus wie bei Schweins hinterm Haus, da kriegst du das Grausen. Da hilft tatsächlich nur noch abreißen. Die alte Frau Neuhofer würd sich im Grab umdrehen, könnt sie das sehen. Alles auf dem Boden, was man sich nur vorstellen kann. Da brauch ich mit dem Suchen gar nicht erst anfangen, das würd ich bis zur Pensionierung nicht schaffen. Also geh ich heim.

In der Nacht läutet mein Diensttelefon und der Neuhofer ist dran. Sagt, bei ihm wär eingebrochen worden und ob ich mir das anschauen kann.

Na bravo!

Ich fahr also mit dem Ludwig hin und wir gehen rein. Es schaut genauso aus wie davor und der Neuhofer weint. Ich frag mich, wie man wegen einer kaputten Kellerfensterscheibe so dermaßen weinen kann, aber gut. Ich schau mich um und mach ein paar Notizen, wegen professionellem Eindruck.

Dann sag ich: »Ja, Hans, dann erzähl mal. Ist jetzt irgendetwas anders als sonst?«

Er starrt mich an mit seinen nassen Augen,

schnäuzt sich ins Hemd und fragt mich, ob ich spinn. Ja, das weiß ich jetzt auch nicht. Einer von uns zweien muss wohl spinnen.

»Ja, glaubst denn du wirklich, dass es bei uns daheim normalerweise so ausschaut, du Depp?«, sagt er.

»Nicht?«

»Nein!«

Aha.

»Wieso bist jetzt du heute eigentlich vor mir abgehauen? Mit deinem wunderbaren Neuwagen?«, frag ich, weil ich das Thema wechseln will. Derweilen scharr ich so mit dem Fuß ein bisschen in dem Chaos am Boden. Vielleicht lässt sich ja doch noch was Brauchbares finden.

Und dann fängt der Neuhofer auf einmal zu schreien an, das kann man gar nicht glauben: »Ja, weil ich die Schnauze langsam voll hab von deiner blöden Ermittlerei, verstehst du? Ich hab jetzt in ganz kurzer Zeit meine gesamte Familie verloren. Meinst du nicht, dass das mehr als genug ist? Da brauch ich nicht noch so einen saudummen Scheißbullen, der mir auf den Sack geht. Und jetzt ermittle lieber mal, wer hier die Bude so zugerichtet hat. Und ... ach ... leck mich doch am Arsch!«

Ja, das sagt er so, der Neuhofer.

Ich sag dann, dass er sich jetzt erst mal beruhigen soll und wir am Montag in der Früh weitermachen. Weil halt jetzt erst einmal Wochenende ist und da kann ich ja sowieso nix machen. Wir verbarrikadieren dann das Fenster so einigermaßen und dann gehen wir heim.

Komisch ist das jetzt aber schon. Wer hätte da wohl ein Motiv, beim Neuhofer einzubrechen? In ein Haus, wo dem Abbruch geweiht ist und nichts mehr drin ist, was jemanden interessiert.

Kapitel 8

Am Samstagmorgen ruf ich erst einmal den Birkenberger an. Weil mich nämlich der Satz vom Spechtl schon irritiert hat, kolossal sogar.

»Sie wollen doch nicht enden wie der Birkenberger«, hat er gesagt. Grad so, als ob der schon in den letzten Zuckungen liegen tät. Ich ruf ihn also an und er zuckt überhaupt nicht. Ganz im Gegenteil. Ihm geht's saugut, sagt er und fragt mich gleich, ob ich nach München komm. Weil er heute eh frei hätte.

Gesagt – getan.

Obwohl mir das schon ein bisserl stinkt, muss ich sagen. Weil die Oma heut nämlich ein Gulasch macht. Und da lass ich schon einmal einen Birkenberger stehen, für ein Gulasch von der Oma. Aber das kann man ja morgen wunderbar aufwärmen und aufgewärmt schmeckt's eh viel besser.

Also fahr ich nach München und treff mich mit dem Rudi in der Eckkneipe, wo wir schon früher immer waren. Der Wirt kennt uns noch und freut sich und gibt gleich eine Runde aus.

Der Rudi schaut gut aus, mein lieber Freund! Und wir essen Würstl mit Kraut.

Er erzählt, dass er jetzt Kaufhausdetektiv ist, beim Hertie und beim Media-Markt, und dass er da Prozente kriegt sondergleichen. Ich bin froh, dass das jetzt die Oma nicht hört, sonst würd sie Haus und Hof verkaufen und beim Birkenberger einziehen. Ich frag ihn, wie's im Knast so war, weil man ja weiß, dass es Polizisten dort nicht grad rosig haben. Der Rudi sagt: »Einwandfrei war's da. Weil: wenn du so einem die Eier wegschießt, Bulle hin oder her, dann bist du sowieso der Held. Der Kinderficker hat übrigens einen auf geisteskrank gemacht. Und kurz bevor sie ihn dann von Stadelheim in die Psychiatrie verlegen wollten, ist er auf unerklärliche Art und Weise die Treppe runtergeflogen, das kann man gar nicht glauben«, sagt der Rudi und grinst.

Ja, und im Laufe des Abends kommen wir dann natürlich auch auf meinen Dreifachmord, und er hört sich das alles ganz gespannt an. Freilich sag ich ihm auch, dass ich keinen Rückhalt hab vom Moratschek und dass mich der Spechtl angerufen hat. Dass die zwei halt meinen, ich tät phantasieren.

»Ja, was glaubst denn du eigentlich, Franz?«, sagt der Rudi. »Was glaubst denn du, was du für einen Ruf hast bei den Oberen? Hast du dir das schon einmal genau überlegt, ha? Du bist ja praktisch durch München durch wie ein Narrischer! Hast einen jeden Parksünder mit der Waffe bedroht. Oder der Chinese, der dich nach dem Weg fragen wollte, wie du den auf den Boden geschmissen und geschrien hast: ›Hände auf den Rücken!‹ Was meinst jetzt du eigentlich, warum sie dich aufs Land geschickt haben? Zum Verkehr regeln. Wo's da noch nicht einmal einen Verkehr gibt!«, sagt er so und trinkt sein Bier auf Ex.

So gesehen hab ich das noch nie so gesehen.

Das ist jetzt ein harter Schlag, muss ich schon sagen. Wir verabschieden uns dann, weil meine Laune jetzt hinüber ist, und sagen, dass wir in Verbindung bleiben.

Wie ich am nächsten Tag aufwach, steht der Flötzinger vor mir und schmeißt mir einen Umschlag aufs Bett. Ich frag, was das ist, und er sagt: »Die neue Rechnung!«

Jetzt muss ich lachen.

»War die Oma bei dir?«, frag ich so.

Ja, die Oma war bei ihm. Gestern. Das muss ich jetzt vielleicht schnell erklären: Also, die Oma ist ja nicht nur meine Oma, sondern eigentlich die Oma vom ganzen Dorf. Wie ich klein war, hat bei uns ein jeder ein- und ausgehen können, und meine Freunde waren immer willkommen. Die vom Leopold wären es auch gewesen, aber der hat ja keine gehabt. Jedenfalls hat's bei der Oma immer ein Stückerl Kuchen gegeben und ein Glas Limo. Sie war beliebt, das muss man schon einmal sagen, und umgekehrt hat sie auch alle mögen.

Außer, und das war der Haken, jemand hat einem von uns was gemacht. Dann war's nämlich aus mit der Freundschaft, mein lieber Schwan! Dem Franz nur ein einziges Haar krümmen und die Oma hat dir die Schienbeine zerschmettert mit ihrem Fuß, so schnell hast gar nicht schauen können. Ja, und das hat sich bis heute nicht geändert. Jetzt hat der Flötzinger blaue Schienbeine und ich hab also eine neue Rechnung. Und der Gas-Wasser-Heizungs-Pfuscher wird daran wohl nicht verarmen.

Abends beim Wolfi treff ich dann die Mary und die Gisela bei ihrem Frauenstammtisch. Ich trink ein Bier und steh so am Tresen, und weil sonst keiner da ist, hör ich halt zu. Die Mary jammert wie wild, weil der Ignatz-Fynn jetzt schon acht Jahre alt ist und immer noch ins Bett reinschifft. Und sie hat die Schnauze voll, jeden Tag das blöde Leintuch zu wechseln. Die Gisela sagt, ihr geht es genauso. Weil nämlich ihr Max jetzt mitten in der Pubertät ist. Und drum muss sie auch ständig das Leintuch wechseln. Mir wird der unappetitliche Kinderkram dann zu viel, und ich trink aus und geh heim.

Am Montag in der Früh warte ich wie ausgemacht auf den Neuhofer. Sitz an meinem Schreibtisch im Dienstzimmer über den Akten und überleg so. Der Neuhofer kommt spät und ist grantig und fragt, was ich rausgefunden hab über den Einbruch.

Was ich rausgefunden hab! Am Wochenende!

Ich sag: »Nix!«, und frag ihn erst einmal, wie er den Audi eigentlich bezahlt hat.

»Ja, mit Geld«, sagt der Klugscheißer und grinst. Ich hol meine Waffe aus dem Halfter und leg sie vor mir auf den Tisch. Dann sagt der Neuhofer, dass er das Auto finanziert hat. Zumindest am Anfang. Jetzt, wo ihm die OTM sein Erbe versilbert hat, kann er den Wagen bar bezahlen.

»Ich brauch die Finanzierungsunterlagen«, sag ich.

Dann will ich wissen, wo er war, wie sein Vater vom Stromschlag getroffen wurde.

»Direkt daneben«, sagt der Hans.

»Wie: direkt daneben?«, frag ich.

»Ja, mei, daneben halt. Er ist vor dem Herd gekniet und ich halt direkt daneben. Was genau verstehst jetzt da nicht?«

»Und wieso bist du direkt daneben gekniet, wenn ich fragen darf?«

»Weil ich ihm halt vielleicht das Werkzeug gereicht hab.«

Das leuchtet ein.

»Und wie sich die Mama im Wald erhängt hat, ha, wo warst du da?«

»Im Bett. Weil sie sich halt um vier in der Früh erhängt hat.«

»Geh, die hat ja noch nicht einmal am helllichten Tag allein auf die Straße gehen können, vor lauter Angst. Da latscht sie dann mitten in der Nacht ganz entspannt in den Wald und hängt sich auf? Das glaubst du ja selber nicht!«

»Ja, weil die Mama eben Angst gehabt hat vor den Leuten, verstehst? Drum ist sie ja auch nicht mehr aus dem Haus. Das war alles. Und um vier in der Früh ist halt sonst niemand unterwegs, kapiert?«

Irgendwie wird er jetzt laut.

»Ich brauch deine Fingerabdrücke«, sag ich, weil mir nix mehr anderes einfällt.

»Geh, leck mich doch am Arsch! Du spinnst

doch! Du gehörst doch eingesperrt!«, sagt der Neuhofer, steht auf und geht zur Tür.

»Ja, das werden wir dann schon noch sehen, wer da eingesperrt gehört von uns zwei!«, schrei ich ihm nach.

Wie er weg ist, hol ich mir erst einmal einen Kaffee bei der Susi und wir ratschen ein bisserl. Dann geh ich zurück in mein Büro und ordne meine Gedanken. Das ist schon ein unglaublicher Stress, so ein Dreifachmord. Und dann noch der komische Einbruch. Das macht doch alles gar keinen Sinn, überleg ich mir so. Ich überleg so und überleg und dann kommt der Simmerl. Also, der Simmerl kommt mitsamt seinem pubertierenden Max und schubst ihn zur Tür rein. Der ist etwas widerspenstig und mürrisch, und sein Vater haut ihm eine auf den Hinterkopf.

»Servus, Franz«, sagt der Simmerl. »Mein Max hat dir was zu erzählen!«

Der Max macht keinerlei Anstalten, mir was zu erzählen. Steht nur da mit seinem pickeligen Gesicht und schaut. Der Simmerl drückt ihn auf den Stuhl nieder und sagt: »Jetzt red schon!«

Der Max denkt nicht dran. Verschränkt die Arme vor der Brust und bockt. Der Simmerl haut ihm eine solche auf den Hinterkopf, dass der Bub nach vorne schleudert.

Jetzt gibt es ja völlig verschiedene Sorten von Menschen. Dem einen musst du nur sanft auf die Schulter tupfen und dann weiß der gleich, was du meinst. Der andere dagegen braucht einen Schlag mit dem Brett direkt aufs Hirn, damit er funktioniert. Der Max war jetzt eher so der Typ Brett aufs Hirn.

Also, der Simmerl haut zu und der Pickel zieht unter seiner Jeansjacke einen Stapel Pornohefte hervor und legt sie mir auf den Schreibtisch.

Aha.

»Pornohefte, aha«, sag ich. »Du weißt aber schon, Simmerl, dass der Besitz von Pornoheften bei uns nicht strafbar ist?«, frag ich ihn.

»Jetzt sag schon, wo'st die her hast!«, schreit der Simmerl und platsch – Hinterkopf.

»Vom Neuhoferhaus, Mensch!«, bockt der Pickel.

»Wie: vom Neuhoferhaus?«, muss ich jetzt fragen.

»Also«, mischt sich der Simmerl jetzt ein, reißt den Pickel vom Stuhl und setzt sich selber nieder. Weit zu mir nach vorn gebeugt, sagt er: »Der Max ist mit zwei oder drei Kumpeln in das Abrisshaus eingestiegen, verstehst?

Nix Tragisches, ein ganz normaler Burschenstreich, aber ich mein, du sollst es halt wissen. Nicht, dass da hernach noch ein Blödsinn rauskommt.«

»Was habt's denn da drin gesucht, Max?«, möcht ich jetzt wissen und lehne mich im Stuhl zurück.

Er zuckt mit den Schultern.

»Ja, nix Genaues. War ja auch nix da. Nur alte Möbel, alte Klamotten und überhaupt altes Zeug. Wir haben halt gelesen, dass die Bude jetzt abgerissen wird und dann …«

Der Simmerl unterbricht ihn: »Ein Burschenstreich halt. Langweilig war's ihnen, gell, Max? Und da kommt man eben auf solche Gedanken. Das weißt du doch selber, Franz.«

»Woher soll jetzt ich so was wissen?«

Der Simmerl steht auf und wir müssen beide grinsen.

Wie der Max anfängt zu grinsen – platsch!

»Habt's ja ganz schön gewütet da drin«, sag ich zu ihm.

Kopf in den Boden, Schulterzucken.

»Sag einmal, Max, wie seid's ihr denn da überhaupt reingekommen?«

Das muss ich jetzt noch wissen.

»Da war doch die Tür auf. Naja, auf nicht direkt, aber halt auch nicht abgeschlossen. Wir sind ganz normal durch die Haustür. Das ist doch nicht strafbar, oder?«, murmelt der Pickel.

Die Tür war auf!

»Und nach uns muss noch einer da gewesen sein«, sagt er dann weiter und gar nicht mehr so motzig wie gerade. Nein, voller Begeisterung tut er das kund. »Ein Riesendepp muss das gewesen sein. Weil: der hat nämlich das Kellerfenster eingeschlagen. Wo doch die Tür auf war!«

Da lacht er jetzt so ein brünftiges Pubertätsgelächter.

Ich schau ihn an und muss schon sagen: Ein einziger Pickel!

Da fallen mir die Worte von der Oma wieder ein: »Lass die Händ weg von deinem Schniedl, weil: da kriegst Wimmerl, das kannst dir gar nicht vorstellen!«

Jetzt war ich ja selber nie so der leidenschaftliche Wichser. Aber wenn ich mir heut den Max mit seinen Pornos so anschau, dann ist alles klar und die Oma hat recht. Dann muss ich an die arme Gisela denken und an die Berge von Leintüchern, die sie zu waschen hat.

»Ja, gut«, sag ich. »Das ist jetzt nicht weiter tragisch, weil das Haus ja demnächst eh abgerissen wird. Und die Pornos wird auch keiner vermissen. Aber lass dir so was ja nicht noch einmal einfallen, mein Freund!«

Kapitel 9

Wie sie weg sind, fahr ich zuerst einmal zum Neuhofer. Klingele an der Tür und er macht auf. Verdreht die Augen in alle Richtungen und lässt mich dann rein. Ich steh so da vor seinen hundert Kartons und schau mich um.

Alles unverändert.

»Ich hab den Fall geklärt«, sag ich so.

»Aha«, sagt der Neuhofer. »Lass hören!«

Ich erzähl ihm dann, dass es ein Burschenstreich war, eher harmlos, und die einzige Beute waren eben ein paar Pornos. Der Neuhofer grinst. Er ist mit der reibungslosen und schnellen Aufklärung des Einbruchs offensichtlich sehr zufrieden. Ich bin es auch. Dann will ich noch wissen, warum die dämliche Haustür denn nicht abgeschlossen war.

»Die war bei uns doch noch nie abgeschlossen. Keine Ahnung warum. Aber das haben doch viele im Dorf, eine offene Haustür, oder?«

Das stimmt, muss ich jetzt sagen.

»Du, sag einmal, wieso war eigentlich das Fenster kaputt, wenn die durch die Tür durch sind?«, will der Nervtöter jetzt wissen.

»Ja, das weiß ich doch nicht. Das wird halt bei dem ganzen Tohuwabohu einfach kaputtgegangen sein«, sag ich so.

Er nickt verständnisvoll.

Ich schau mich so um. Alles unverändert.

»Was haben die dir eigentlich für das Grundstück bezahlt, die von der OTM?«

Ich muss das jetzt fragen, weil's mir keine Ruhe lässt. Der Neuhofer verdreht wieder die Augen, das kannst du gar nicht glauben.

»Fünfzigtausend«, sagt er dann. »Und von der OTM hab ich gar nix gekriegt, nur dass du das weißt!«

»Wie, nicht von der OTM? Von wem denn sonst?«

»Von einem Immobilienbüro halt. Die waren schon länger scharf darauf.«

Er wirkt jetzt ein bisschen verloren. Steckt die Hände in die Hosentaschen und schaut aus dem Fenster. »Der Papa hat aber nicht verkaufen mögen. Die Mama, mein Bruder und ich eigentlich schon. Wir wären gern woanders hin. Wo's halt schöner ist zum Wohnen und ruhiger. Aber der Papa – keine Chance. Er hat das alles von seinen Eltern bekommen und wird's auch an seine Kinder weitergeben. Aus. Was die dann damit machen, ist ihm egal, hat er immer gesagt.«

Fünfzigtausend. Da bringt man doch niemanden um dafür. Und schon gar nicht seine eigene Sippschaft, und sei sie noch so ekelhaft.

Womöglich haben der Moratschek und der Spechtl doch recht und ich verrenn mich da jetzt in irgendwas. Am besten erst mal alles sacken lassen. Sacken lassen und schauen, was die Oma gekocht hat.

»Nix für ungut«, sag ich zum Neuhofer und fahr heim.

Die Oma hat gar nix gekocht. Ich hab's einfach vergessen oder besser verdrängt. Die Oma backt nämlich jetzt. Sie backt praktisch rund um die Uhr. Dr. Oetker: Dreck dagegen. Sie hat nämlich übermorgen Geburtstag, und weil es der fünfundachtzigste ist, wird wieder das ganze Dorf einfallen. Wie bei ihrem achtzigsten. Samt Bürgermeister, Pfarrer und dem schwulen Reporter von der Lokalpresse. Ich muss dann meinen Saustall räumen, weil nur dort so viele Menschen reinpassen. Und hab danach vermutlich tagelang den Altersheimmief in meiner Bude.

Na bravo.

Und bis es so weit ist, gibt's nix zu essen.

Ich schnapp mir den Ludwig und wir marschieren zum Simmerl. Vier Leberkässemmeln für mich und eine Weiße für den Ludwig. Danach gehen wir unsere Runde und danach zum Wolfi. Weil: heimgehen hat jetzt eh keinen Sinn. In der Küche kannst dich nirgends hinsetzen vor lauter Kuchen und im Saustall drüben macht der Papa schon mal Platz für hundert Biergarnituren.

»Was schenkt man jetzt einem Menschen, der nix will«, frag ich den Wolfi.

»Vielleicht ein Hörgerät«, sagt der.

»Die Oma will doch gar nix hören«, sag ich.

»Ja, dann nimm halt Blumen. Das ist immer gut.«

»Mei, Wolfi, mit den Blumen, wo die Oma da kriegt, da könnten wir Mainau den Rang ablaufen.«

»Ja, dann weiß ich auch nix. Ein Parfüm vielleicht. Oder ein Buch«, sagt er über den Zapfhahn hinüber.

Lauter tolle Ideen, muss ich schon sagen. Ich trink mein Bier aus und geh heim.

Am nächsten Tag kommt ein Anruf von der PI Landshut, ich kann die Karabiner wieder abholen, die sind alle neu. Keiner verrostet und behandelt oder so. Also fahr ich rein, und auf dem Rückweg komm ich an einer Massagepraxis vorbei. Eine Massage ist eine gute Sache. Die Oma mag das, wenn ich ihr den Buckel massier. Also rein und in der Anmeldung einen Gutschein kaufen für eine Massage. Kostet ein Vermögen, aber ist es mir wert. Ich kauf noch eine nette Karte und das Geschenk ist perfekt. Jetzt kann der Geburtstag kommen.

Und er kommt.

Schon in aller Herrgottsfrüh stehen die ersten Gratulanten im Hof. Ich verräum mein Bettzeug noch schnell, und schon stürmen sie meinen Saustall. Eine Blasmusik spielt auf im Hof und der Fleuropwagen muss zweimal kommen, weil nicht alles auf einmal reinpasst. Die Oma kann man nicht mehr sehen vor lauter Leuten, dafür hört man sie gut.

»Mei, das hätt's doch nicht gebraucht!«, schreit sie jedes Mal, wenn sie einem der Besucher das Geschenk aus den Händen reißt. Die meisten sind alt, Durchschnittsalter Heesters, weil die Jüngeren noch in der Arbeit sind und erst am Abend dazustoßen. Alle hören schlecht und schreien sich an, als wär der Krieg ausgebrochen. Ich geh dann auch, und überbring meinen Glückwunsch und das Kuvert mit dem Gutschein.

»Eine Massage!«, schreit mich die Oma an.

»Ja, das ist ja wunderbar! Meinst, die können mir auch die Hühneraugen gleich wegmachen?«

Ja, das weiß ich jetzt nicht und ich muss auch zur Arbeit.

Wie ich am Abend heimkomm, ist die Bude voll, vom Rollbraten kein Scheibchen mehr übrig, vom Kraut bloß das Angebrannte und vom Kuchen nur noch der mit Diätzucker. Ich nehm mir ein Stück und setz mich aufs Kanapee. Der schwule Reporter macht ein paar Fotos und setzt sich dann zu mir her. Es dauert nicht lang und an meiner anderen Seite sitzt die Roxana in schwarzen Spitzen. Obwohl mir die Nachbarschaft hier nicht recht passt, bleib ich hocken. Weil das immer noch besser ist, als drüben auf den Bierbänken, eingepfercht in tausend Jahre Achselschweiß.

Der Reporter und die Roxana verstehen sich prima, und wie ich hernach zum Pinkeln geh, treiben sie's wie wild in seinem Auto. Womöglich ist er nur bi, denk ich mir jetzt, oder gar nix von beidem. Vielleicht sind es nur die hautengen Jeans, wo den schwulen Eindruck vermitteln. Später sitzt die Roxana auf dem Leopold seinem Schoß und er macht ein glückliches Gesicht. Sie natürlich auch, aber vermutlich nicht wegen dem Leopold.

Zu späterer Stunde muss ich dann den einen oder anderen heimfahren. Weil: wenn das Stehen schon schwerfällt, wird's mit dem Gehen problematisch. Ich fahr sie also und alle haben eine Mordsgaudi, weil wir mit Blaulicht und Sirene durchs Dorf jagen. Wie ich von der letzten Tour heimkomm, sitzt die Susi da mit dem Papa und trinkt ein Bier. Ich hab sie vorher gar nicht gesehen, weil sie völlig umzingelt war von den ganzen Gästen. Saß sozusagen mittig im Geburtstagsfest. Ich schau noch schnell nach der Oma, aber die schläft schon. Wie ich wiederkomm, ist der Papa dann weg und die Susi liegt auf meinem Kanapee. Was weiter nicht schlimm ist. Sie riecht halt ein bisschen nach Heesters, aber sonst ist alles gut. Wirklich alles.

Wie ich ein paar Tage später mit dem Ludwig geh, kommen wir am Sonnleitnergut vorbei. Ja, direkt vorbeigekommen, so rein zufällig, sind wir eigentlich nicht. Es war schon mehr Absicht. Es ist Samstag, und da wollt ich halt einmal schauen, ob der Ferrari da ist. Weil sie sich ja vorgenommen hat, an den Wochenenden das Haus so nach und nach zu renovieren.

Kein Ferrari, kein Ossi-Klaus, keine Mütze.

Der Ludwig läuft vor an die Eingangstür und winselt. Ich geh zu ihm hin, und dabei fällt mein Blick ins Innere des Hauses. Es ist alles haargenauso wie schon vor Wochen. Macht nicht den Anschein von irgendwelchen Bauarbeiten. Gut, es sind Heizkörper drin, dem Flötzinger sei Dank. Aber sonst, kein Handgriff geschehen. Ich geh ums Haus rum, weil ich schon mal da bin, und schau auch durch die anderen Fenster. Nix. Also, dafür, dass die sogar einen Architekten hier mit angeschleppt hat, ist wenig passiert. Ich muss sie wirklich danach fragen, wenn sie wieder hier ist. Also, in diesem Tempo jedenfalls werden die nie bis zum Sommer fertig.

Auf dem Rückweg geh ich beim Flötzinger vorbei, vielleicht weiß der was Genaueres. Ich läute und geh dann ein paar Schritte zurück, einfach um zu verhindern, dass mich ein Katzenhaar streift. Er macht mir die Tür auf im blau-grünen Jogger.

»Servus, Franz. Komm doch rein, ich hab grad einen Kaffee gekocht«, sagt er so einfach.

»Ja, spinnst denn du! Meinst, ich würd mich noch einmal freiwillig deinen haarigen Bestien ausliefern?«, ruf ich ihm aus sicherer Entfernung zu. Er verschränkt die Arme vor der Brust wegen Kälte und kommt ein Stück zu mir raus.

»Sag einmal, weißt du, wann der Ferrari wiederkommt?«, möchte ich wissen. Dem Flötzinger schießt das Blut in den Schädel, frag nicht, und er zieht mich noch weiter vom Haus weg.

»Psst!«, flüstert er kaum hörbar. »Ja, bist denn du wahnsinnig! Wenn das die Mary hört! Wenn die nur einen einzigen, winzigen Ton hört von dieser Frau, dann kann ich wieder losrennen und ein neues Geschirr kaufen!«

»Jetzt sag schon, weißt du, wann sie wiederkommt?«, nuschele ich in meinen Kragen.

Er schüttelt den Kopf.

»Keine Ahnung«, nuschelt er, auch in meinen Kragen.

»Da ist ja noch überhaupt nichts gemacht worden. Außer deinen Scheißheizkörpern vielleicht. Aber sonst rein gar nichts.«

»Ich weiß nix, Eberhofer. Und jetzt hau ab!«

»Hast du denn dein Geld schon bekommen?«, frag ich noch. Er druckst ein bisschen herum und druckst und sagt schließlich, dass er noch gar keine Rechnung geschrieben hat.

»Bei mir warst nicht so wehleidig. Mir hast

sofort die Rechnung geschrieben, dass es mir gleich ganz schlecht geworden ist.«

»Dafür hast du mir ja auch sofort die Oma auf den Hals gehetzt, oder?«

Ich geh dann lieber.

Am Montag in der Früh ist dann endlich der Massagetermin für die Oma. Die Frau am Telefon ist nett und vermutlich dieselbe, die mir ein paar Tage vorher mit sanftem Lächeln den Gutschein ausgestellt hat. Also pack ich die Oma ins Auto und wir düsen ab. Sie fragt mich noch mal wegen den Hühneraugen, weil: da wo die Mooshammer Liesl zum Massieren hingeht, machen sie auch Hühneraugen. Ich weiß es nicht, aber wir werden es rausfinden.

Dort angekommen, steig ich mit aus, weil ich wissen will, wann ich die Oma wieder abholen kann. Und natürlich, ob sie auch Hühneraugen machen. Wir gehen rein und da steht jetzt diese nette Frau von neulich und schaut uns an. Diesmal hat sie aber kein enges schwarzes Kleid und hochgesteckte Haare, sondern rote Strapse und wallende Mähne, mein lieber Schwan!

Ich frag gleich gar nicht mehr wegen den Hühneraugen, sondern vielmehr, ob ich mein Geld zurückkrieg. Zuerst mag sie nicht recht, wie ich ihr aber meine Dienstmarke zeig, ist das kein Problem.

Die Oma sagt ein paarmal: »Ja, pfui Deife!«, und tritt mir gegen's Schienbein.

Die Mooshammer Liesl ist dann die Rettung, indem sie uns einen kurzfristigen Termin ausmacht in ihrem Salon. Keine Strapse, keine Mähne, nur ein draller Rotschopf mit Sommersprossen und dem Versprechen: »Hühneraugen sind meine Spezialität!«

Wie ich die Oma nach zwei Stunden wieder abhol, sagt sie, das war das beste Geburtstagsgeschenk von allen. Und sie hat jetzt eine Zehnerkarte. Und wenn sie neun Mal da war, kriegt sie die zehnte Behandlung umsonst.

Auf dem Rückweg kommen wir beim Neuhoferhaus vorbei und das war auch das letzte Mal.

Am nächsten Tag ist es weg. Abgerissen und niedergewalzt, praktisch platt. Eine Riesenlücke, wo immer ein Haus war.

Komisch.

Ich fahr mit der Oma hin und wir schauen uns das an, genauso wie fast alle im Dorf. Es ist ein Betrieb wie auf dem Volksfest, und auch der Neuhofer selbst steht etwas trübsinnig rum. Sein nagelneuer Audi parkt wie verloren in der Einfahrt, und erst jetzt ist so deutlich sichtbar, wie groß das Grundstück wirklich ist.

»Fünfzigtausend. Da glaub ich, haben sie dich so richtig über den Tisch gezogen!«, sag ich zu ihm, so im Vorbeigehen.

Er zuckt mit den Schultern, steigt ins Auto und braust ab.

Die Oma ratscht sich durchs Dorf und schreit jeden an, wie gut man laufen kann mit keinen Hühneraugen.

Weiter abseits stehen zwei Typen im Anzug, mordswichtig mit Aktentaschen, und einer von beiden telefoniert ständig. Der Simmerl kommt im blutigen Kittel und schüttelt den Kopf.

»Ein Trumm Grundstück, ha? Dass es so groß ist, hätt ich nie geglaubt. Ja, und der Standort! Siebzehn Kilometer in die eine und zweiunddreißig in die andere Richtung keine Tankstelle. Das wird eine Goldgrube, Franz. Ich muss unbedingt schauen, dass ich da meine Wurstsemmeln unterbring!«, sagt er und verschwindet in die Richtung von den zwei Anzügen.

Dann kommt die Oma und schreit mich an, dass ich dem Simmerl sagen soll, dass er uns für morgen zwei Kilogramm Hackfleisch reserviert, weil das im Angebot ist. Jetzt ist der aber grad am Reden und so muss ich mich hinten anstellen. Er spricht mit Händen und Füßen auf die zwei Männer ein und die nicken unaufhörlich. Schließlich schüttelt man sich die Hände. Der Simmerl kommt mit einem relativ entspannten Gesichtsausdruck auf mich zu. Und ich geh ihm entgegen, wegen dem Auftrag von der Oma. Also geb ich die Bestellung auf und auf dem Rückweg zum Auto hör ich grade noch die zwei Anzüge reden: »Das wird eine saubere Sache. Eine Goldgrube, glauben Sie mir das!«, sagt der eine.

Darauf der andere: »Das muss es aber auch, werter Kollege. Bei diesem Wahnsinnspreis für das Grundstück!«

Also mir persönlich fehlen da die Worte. Sicherlich ist es bei uns hier auf dem Land jetzt nicht so superteuer. Aber fünfzigtausend für dieses Riesengrundstück und der Tankstellentraumlage ist einfach unverschämt billig. Die zwei müssen einen an der Waffel haben.

Dann bring ich die Oma heim und wie wir in den Hof reinfahren, hört der Papa die Beatles. Nicht so laut wie sonst, immerhin. Er ist fröhlich und singt die Texte mit und kramt in seiner Truhe.

»Ja, zwecks was bist denn du heut so fröhlich?«, frag ich ihn.

Dann erzählt er mir, dass er jetzt gleich zu einer Demo geht. Auf eine Demonstration gegen die Tankstelle.

Jetzt muss ich vielleicht kurz erklären, dass der Papa ein leidenschaftlicher Demogänger ist. Und dabei spielt das Motto überhaupt keine Rolle. Er ist gegen den Münchner Flughafen marschiert und gegen das Kernkraftwerk in Ohu. Gegen die Erhöhung der Ölpreise und die Senkung der Milchpreise. Er würde gegen den Sonnenaufgang demonstrieren, wenn jemand mitmachen würde. Ja. Nein, was ich damit nur sagen will, der Papa demonstriert nicht für oder gegen was. Sondern er demonstriert wegen der Demonstration.

Also zieht er sein altes Revoluzzer-Shirt aus der Truhe, mit dem Kopf drauf vom Che Guevara, schlüpft rein und verschwindet durch die Haustür. Ich stell die Beatles ab und die Oma brät uns ein paar Schnitzel.

Nachdem ich den Neuhoferfall ein wenig hab sacken lassen, wird mir langsam klar, dass der Neuhofer wohl doch kein Familienmeuchler ist. Hätte auch wenig Sinn gemacht, wenn man mal nachdenkt. Für fünfzigtausend macht man keine solchen Dummheiten. Wobei natürlich der Verkauf von dem Grundstück zu diesem Preis allein schon eine Dummheit war. Eine riesige sogar. Vermutlich hätte der Hans das Drei- oder Vierfache verlangen können. Aber wie gesagt, der Hellste war er ja noch nie.

Kapitel 10

Ein paar Wochen später, die letzten Schneehaufen im Wald waren dahingeschmolzen, und bei der Oma im Garten haben schon die Osterglocken und Tulpen geblüht, vom Ferrari noch immer keine Spur. Jetzt frag ich mich langsam, wie die das schaffen will. Das ganze Haus bis zum Sommer, wenn die Eltern kommen, fertig zu haben. Der Ludwig und ich sind noch einige Male vorbeigelaufen, aber nix.

Dafür aber seh ich den Ossi-Klaus. An der Tankstelle. Ja, das muss man jetzt schon einmal sagen, der Bau von der Tankstelle geht in einem Tempo vor sich, das kann man gar nicht glauben. Da könnt sich der Ferrari schon mal eine Scheibe abschneiden davon. Die haben kaum das Neuhoferhaus niedergewalzt, da ist es schon losgegangen. Und in drei Tagen ist jetzt die Eröffnung. Unglaublich. Ja, jedenfalls fahr ich eben daran vorbei, an der Tankstelle, mein ich, und da steht der Ossi-Klaus. Steht da gemütlich und ratscht mit einem von den zwei Typen, die neulich im Anzug da waren. Bis ich gewendet hab und zurückfahr, ist er leider schon weg. Rein in sein Auto und abgedüst. Wo ich schon mal da bin, frag ich den Anzug, was der Klaus von ihm wollte.

»Darf ich Sie fragen, was Sie das angeht?«

Ja, das darf er.

»Ich habe hier Ermittlungen durchzuführen, beantworten Sie einfach meine Frage!«, sag ich und zeig ihm meinen Dienstausweis.

»Hat er denn etwas ausgefressen, der Herr Mendel?«, will er jetzt wissen.

»Wer genau ist der Herr Mendel?«

»Na, Sie sind ja gut! Nach dem haben Sie mich doch gerade eben gefragt!«, sagt der Anzug und deutet mit dem Kopf in die Richtung, wo der Ossi-Klaus abgebraust ist.

»Ach, der Herr Mendel. Genau«, sag ich und zück meinen Notizblock.

»Also, was hat er denn so gewollt von Ihnen, der Herr Mendel?«

Dann erfahr ich, dass der Anzug der verantwortliche Geschäftsleiter von der OTM ist und der Ossi-Klaus eben ein Geschäftsfreund.

Aha.

Ich notiere. Lasse mir Zeit, wegen Eindruck.

»Wie viel haben Sie denn für das Grundstück hier eigentlich bezahlt?«

Ich weiß jetzt auch nicht, wie ich auf die Frage komm, aber gut.

»Großer Gott, in welcher Angelegenheit ermitteln Sie denn? Was soll denn das alles?«

»Beantworten Sie einfach nur meine Frage!«

Das hört sich sehr professionell an.

Der Anzug greift nach seiner Aktentasche am Boden und geht in die Richtung von seinem Wagen.

»Fünfhunderttausend, Herrgott! Und jetzt lassen Sie mich in Ruhe!«, zischt er, steigt ein und weg ist er.

Ich setz mich dann erst einmal in den Streifenwagen und ringe nach Luft. Dann schreib ich mir zur Sicherheit sein Kennzeichen auf, weil ich in der Hektik vergessen hab, seine Personalien aufzunehmen. Und dann fang ich an zu rechnen. Wenn der Neuhofer fünfzigtausend bekommen hat und der OTM-Fuzzi fünfhunderttausend bezahlt hat, dann stimmt da was nicht. Da hat jemand einen groben Fehler gemacht. Entweder einer von den zweien lügt, oder ein dritter hat die beiden ganz schön verarscht. Hat jetzt sehr viel Geld und haut sich vor lauter Freude auf die Schenkel.

Leider kann ich mich diesem Gedanken nicht weiter widmen, weil ich im Kofferraum noch die Karabiner hab. Die muss ich jetzt zur Firma Krawall zurückbringen, bevor sie schließen.

Ich sag dem Herrn Wallner, dass alles in Ordnung ist mit den Haken, und wir schleppen sie zurück zur Baracke.

»Haben Sie schon rausbekommen, wo der getürkte Karabiner hergekommen ist?«, fragt das Pockengesicht mit der Kippe im Mundwinkel.

»Nein, ich steck noch in den Ermittlungen«, sag ich so.

»Ja, dann schicken Sie sich da jetzt ein bisschen. Weil das für den Ruf von meiner Firma auch nicht grad förderlich ist, wissens'!«

Ja, wie redet der denn mit mir!

»Ja, wie reden Sie denn mit mir? Den Tonfall kontrollieren, mein Freund! Sonst mach ich die Bude hier dicht, so schnell schaust du gar nicht!«, sag ich und fahr dann lieber.

Abends beim Wolfi treff ich dann seit längerer Zeit wieder mal auf den Flötzinger. Der darf jetzt endlich wieder das Haus verlassen, nachdem der Ferrari schon lang nicht mehr hier war. Wir trinken ein Bier und ratschen ein bisschen. Und irgendwann frag ich ihn dann, ob er denn jetzt eigentlich sein Geld schon gekriegt hat von ihr.

»Nein«, sagt er. »Ich hab ihr die Rechnung geschrieben und danach irgendwann auch die Mahnung. Hab alles in den Briefkasten am Haus geworfen, weil: eine andere Adresse hab ich ja nicht. Aber wenn sie nicht herkommt, kriegt sie halt auch ihre Post nicht.«

»Vielleicht ist ihr was passiert«, sag ich so in mein Bierglas hinein.

»Vielleicht«, sagt der Flötzinger und trinkt aus.

Dann ist die Eröffnung von der Tankstelle, und alle sind natürlich da. Der Simmerl ist da mit einem blitzsauberen Kittel und schleppt eifrig tonnenweise Wurstsemmeln in den Verkaufsraum. Der Flötzinger ist da und trägt heute Krawatte, schließlich hat er die Heizung eingebaut. Sogar der Landrat ist gekommen und sagt ein paar unvermeidbare Worte in ein Mikrofon, das ständig pfeift. Die zwei Anzüge sind auch da und haben's mordswichtig. Und sie verteilen Tankgutscheine an Kinder potentieller Kunden. Die Oma kriegt auch zwei, weil sie eine Kappe trägt, tief im Gesicht, und halt dank ihrer Größe und Jacke gut als Kind durchgeht. Und sie freut sich.

Ganz am Rand steht der Neuhofer, und ich kann es mir nicht verkneifen, zu ihm hinzugehen und zu sagen: »Du, Neuhofer. Weißt du eigentlich, was die OTM bezahlt hat für euer Grundstück?«

Er schüttelt den Kopf und schaut mich erwartungsvoll an. Ich genieß meine Überlegenheit und lass mir ein bisschen Zeit. Dann sag ich ganz leise: »Fünf-hundert-tausend!«

Wie's dem Hans jetzt schlecht wird, kann man direkt sehen. Er starrt mich an und ist quasi blutleer. So was Blasses hab ich vorher noch nie gesehen. Höchstens noch die Kartoffelknödel von der Oma. Wobei es da auf die Kartoffeln ankommt. Die Sommerkartoffeln sind viel mehr gelb als die Winterkartoffeln. Und drum sind auch die Knödel im Winter heller. So eben wie der Neuhofer. Ja, der hat jetzt genau die gleiche Farbe wie ein Winterkartoffelknödel.

Dann wendet er sich ab und verschwindet in der Menge.

Später stehen der Papa und der Simmerl beisammen und der Simmerl sagt, dass es ein wahrer Jammer ist, dass der Papa die Schweinezucht nicht mehr hat. Weil: unsere Säue haben das zarteste Fleisch im ganzen Landkreis gehabt. Der Papa sagt, das liegt an den Beatles.

»Weil: wenn die Sauen den ganzen Tag lang

eine gute Musik hören, dann geben sie auch ein gutes Fleisch!«

»Ja, wirklich ein Jammer!«, sagt der Simmerl.

Der Papa sagt dann recht wehmütig, er ist zu alt für die Schweinezucht, und seine zwei Buben hätten jetzt bessere Jobs. Dann dreht er sich einen Joint und mich trifft fast der Schlag. Das hat er jetzt schon lang nicht mehr gemacht, aber immer wenn er seinen Sentimentalen kriegt, passiert es halt. Ich renn zu ihm hin und frag, ob er spinnt. Er winkt ab, dreht sich um und geht. Ein paar Schritte weiter bleibt er stehen und ich hör kurz das Feuerzeug klicken. Dann geht er weiter.

Am Schluss bring ich die Oma heim, und die hat jetzt fünf Tankgutscheine, weil ein paar depperte Kinder eben welche verloren haben.

Ein paar Tage später ruft mich der Birkenberger Rudi an und ich erfahr, dass er sich jetzt selbstständig gemacht hat. Er ist jetzt ein Unternehmer und betreibt die Privatdetektei Birkenberger. Das Geschäft ist gut angelaufen und die Nachfrage groß, und er bekommt trotzdem noch Prozente beim Hertie und beim Media-Markt. Ich gratulier ihm recht herzlich und wünsch ihm alles Gute und wir vereinbaren ein Treffen in zwei oder drei Wochen.

Nachdem der Ferrari immer noch verschwunden ist, der Flötzinger nun langsam sein Geld haben will und wir jetzt mittlerweile auch wirklich beunruhigt sind, geh ich zur Susi. Geb ihr die Personalien durch, die ich damals notiert hab, und bitte sie, mir die Münchner Adresse herauszufinden. Kein Problem, sagt die Susi, und ich soll am Nachmittag wiederkommen.

Am Nachmittag ist es dann aber eher schlecht. Weil da muss die Oma zum Zahnarzt. Ich eigentlich auch, aber ich täusche einen Schnupfen vor. Hab mir daheim eine Viertelstunde lang die Nasenflügel mit Schleifpapier (Mittlere Körnung) behandelt und jetzt sind die rot, das kannst du dir gar nicht vorstellen. Wie wahnsinnig verschnupft halt. Und mit verstopften Nasenlöchern kann man unmöglich zahnmedizinisch behandelt werden. Also bleib ich im Wartezimmer sitzen und les derweil das ›Journal für die Frau‹, weil nix anderes da ist.

Jetzt könnte man ja meinen, dass Menschen im Alter von der Oma ihr Gebiss abgeben und fertig. Nicht so die Oma. Die pflegt ihre Kauerchen und hat kaum Ersatzteile. Das hat sie von ihrer Mutter, sagt sie. Die hat auch noch im Alter von zweiundneunzig Jahren einen Granny Smith essen können, ohne dass der zuerst püriert hat werden müssen.

Mit mir sitzt eine junge Frau im Wartezimmer, mit einem kleinen Buben auf dem Schoß. Der weint und schreit und will nicht zum Zahnarzt. Die Mutter versucht mit Engelszungen und verlockenden Versprechungen, seine Angst zu vertreiben. Vergeblich. Der Bub wird nur noch unruhiger, führt sich auf wie ein Gartenschlauch und haut am Schluss mit den Fäusten auf sie ein.

Jetzt muss ich mich natürlich einmischen. Ich zeig ihm meine Dienstmarke und die Waffe im Halfter und sag ihm, dass ich Polizist bin und Franz heiße.

Er ist beeindruckt.

Ich erzähle ihm dann, dass ich als Kind immer ganz tapfer gewesen bin und darum bin ich dann halt Polizist geworden. Da er jetzt auch unbedingt Polizist werden will, fängt er an, tapfer zu sein. Seine Mutter ist mir dankbar und streift mir übern Arm. Ich les weiter das ›Journal für die Frau‹ und warte auf die Oma. Natürlich ist bei der dann wieder einmal alles in Ordnung, als sie aus dem Behandlungszimmer kommt, und sie verabschiedet sich im Türrahmen vom Zahnarzt. »Ja, wunderbar, Herr Doktor!«, schreit sie ihn an.

»Dann sehen wir uns erst nächstes Jahr wieder, gell. Der Franz kommt aber vorher noch mal, wenn er sich traut. Aber Sie wissen's ja selber, Herr Doktor, er scheißt sich halt immer noch in die Hosen vorm Zahnarzt. Da fragt man sich schon, wie so was bei der Polizei gebraucht wird!«

Der Bub fängt wieder an zu schreien und die blöde Zahnarzthelferin gibt mir gleich einen neuen Termin für die nächste Woche: »Bis dahin dürfte der Katarrh ja dann wohl vorbei sein!«, sagt sie schnippisch.

Wie ich am nächsten Tag zu der Susi geh, weiß sie noch gar nix. In München lebt keine Mercedes Dechampes-Sonnleitner, womöglich im Umland. Dazu braucht sie aber mehr Zeit und die hat sie jetzt nicht. Weil nämlich der Bürgermeister sein zwanzigjähriges Dienstjubiläum feiert und sie hat alle Hände voll zu tun – wegen Vorbereitung und so.

Durch das ganze Trara in der letzten Zeit bin ich gar nicht mehr dazu gekommen, über den

Verkauf vom Neuhoferhaus zu grübeln. Jetzt muss ich langsam schon mal wissen, was da falsch gelaufen ist. Also fahr ich nach Landshut zum Neuhofer und läute an der Tür. Ein paarmal und immer wieder, aber keiner macht auf. Sein Nachbar öffnet dann genervt und in Unterhosen und sagt, der Hans ist in der Lackfabrik, hat Spätschicht und ich kann ihn erst morgen früh wieder erreichen. Oder heut ab Mitternacht.

Jetzt muss ich vielleicht kurz erklären, dass der Hans seit Jahren eben in der besagten Lackfabrik arbeitet. Seit ich denken kann. Manchmal frag ich mich schon, ob diese ganzen chemischen Dämpfe schuld sind an seiner geistigen Verwirrung. Weil: wennst' dein halbes Leben lang eben diesen chemischen Scheißdreck einschnaufst, das kann schon aufs Gehirn gehen.

Ja, jedenfalls wird das heute wohl nix mehr, und so fahr ich dann heim.

Wie ich am Abend mit dem Ludwig meine Runde dreh und wir am Sonnleitnergut vorbeikommen, brennt da Licht. Ich freu mich und läute und der Ferrari macht mir die Tür auf. Sie schaut heute gar nicht aus wie ein Ferrari, eher wie ein alter VW-Bus. In ihrer abgewetzten Jeans und einem Schlabberpulli, wo der Simmerl und der Flötzinger zeitgleich reinpassen täten. Aber sie freut sich auch und zwar gleich so, dass sie mir um den Hals fällt. Der Ludwig und die Mütze freuen sich auch und verschwinden im Obergeschoss. Wir stehen immer noch so umarmt im Flur und dann fangen wir an zu schmusen, das kann man gar nicht erzählen.

Also, Susi hin oder her, aber nach zwei Stunden Ferrari hatte ich keinerlei Erinnerung mehr an die Susi. Danach trinken wir ein Glaserl Rotwein und ich frag sie, warum sie jetzt so lange nicht mehr da war.

»Meine Mutter hat schon seit Jahren Krebs und da geht's mal bergauf, mal bergab«, sagt sie. »Ich war jetzt ein paar Wochen in Quebec und muss da auch gleich wieder hin. Ich mache nur das Haus so weit klar, aber den Umbau müssen wir verschieben«, erzählt sie so und wischt sich eine Träne vom Gesicht. Es ist schade, dass sie jetzt gleich schon wieder weg muss, meine französische Praline. Gerade jetzt, wo wir uns so aneinander gewöhnt haben.

»Wann kommst du denn dann wieder, Mon Chéri?«, muss ich noch wissen.

»Sobald ich kann«, sagt sie und quetscht sich ein Lächeln ab. Dann fängt sie an, ihre

Sachen einzupacken und auch die vom Ossi-Klaus. Weil nun halt lange Zeit niemand mehr da sein wird, sagt sie so traurig, dass es mir gleich ganz schlecht wird. Wir bleiben telefonisch in Verbindung, klare Sache, und dann mach ich mich auf den Heimweg.

Grad wie ich so mit dem Ludwig aus der Einfahrt trete, rast der Neuhofer mit seinem knattrigen Peugeot-Roller daher. Und wie er uns sieht, hält er an.

»Woher weißt du das eigentlich genau mit den Fünfhunderttausend?«, fragt er mich ziemlich laut, weil er vermutlich von dem Geknatter schon hörgeschädigt ist.

»Wieso bist jetzt du nicht in der Arbeit?«, frag ich zurück.

»Weil wir heut unser wichtigstes Heimspiel haben und drum hab ich schon um sechs Feierabend gemacht«, sagt er. »Also, was ist jetzt, woher weißt du es?«

Er ist hartnäckig.

»Ja, von der OTM halt. Einer von der Geschäftsleitung hat es mir erzählt.«

»Kann man dem das auch glauben?«

»Ja, warum soll er mir denn bitte einen Schmarrn erzählen?«

»Wenn das stimmt, dann muss ich dir auch

was erzählen«, sagt der Hans und seine Augen funkeln. Er schaut auf die Uhr.

»Aber nicht jetzt, weil's mir pressiert!«

Er tritt den Roller wieder an und ruft im Losfahren noch: »Ich komm gleich morgen früh in dein Büro!«

Und schon ist er weg.

Daheim hab ich Hunger, weil ich nach dem großartigen Genuss von einem Bier oder einer Frau immer Hunger hab. Leider gibt's nur eine Gemüsesuppe, weil Fastenzeit ist. Wie ich hernach auf dem Kanapee lieg, kann ich aus diversen Gründen nicht einschlafen. Erstens muss ich an den Ferrari denken. Zweitens liegen mir dem Neuhofer seine Worte im Ohr. Und drittens hab ich Hunger. So geht das eine Weile und dann steh ich wieder auf. Schnapp mir den Ludwig und wir fahren ins Vereinsheim Rot-Weiß.

Das Spiel ist grad aus und wurde verloren. Obwohl der Neuhofer drei von vier Toren geschossen hat. Aber der Torwart von ihnen ist eine solche Niete, frag bloß nicht! Und ich kann mir da wirklich ein Urteil erlauben, weil ich selber lang genug zwischen den Pfosten gestanden bin. Aber gut. Jetzt feiern halt die

Gegner und dem Neuhofer ist sein Gesicht eingefroren. Was mir aber jetzt persönlich lieber ist, weil: dann kann ich mit ihm reden. Sonst würd er ja feiern.

Und einiges, was ich dann erfahr, ist schon interessant, mein lieber Schwan! Wie wir wissen, ist das Immobilienbüro schon auf den alten Neuhofer zugekommen, wegen dem Grundstück. Der wollte aber auf keinen Fall verkaufen und ist saugrantig aus dem Haus gestampft. Die Mutter hat dann gesagt, sie würde jederzeit verkaufen. Sie hat das Haus ja noch nie mögen und die blöde Straße davor noch viel weniger.

Aber jetzt kommt's: Wie dann der Alte tot war, hat auf einmal die Mutter nicht mehr verkaufen mögen. Weil der Papa das nicht gewollt hat, mag sie das jetzt auch nicht mehr. Aus.

Dann hat der Bruder gesagt, er kann nix machen. Er würde es schon gern verkaufen. Lieber heute als morgen. Aber wenn die Mama das nicht mag, kann er nichts tun.

Dann stirbt die Mama und es war wieder dasselbe. Jetzt hat der Bruder nicht mehr verkaufen mögen. Wegen dem schlechten Gewissen den verstorbenen Eltern gegenüber.

Es war zum Wahnsinnigwerden!

Ja, und am Schluss war halt der tragische

Containerunfall. Und gleich am allernächsten Tag ist dann wieder diese Frau vom Immobilienbüro vor der Tür gestanden. Und da hat er unterschrieben, der Hans. Obwohl die gleich um die Hälfte mit dem Preis runter ist. Weil sie jetzt so lange warten hat müssen und so viel Unannehmlichkeit gehabt hat. Trotzdem hat er dann gleich unterschrieben, sagt der Hans. Weil er nämlich die Schnauze endgültig voll gehabt hat von dem ganzen Trara.

Aber jetzt, wo er weiß, wie viel ihm das Grundstück hätte bringen können, hat er eine Sauwut. Eine unglaubliche Sauwut sogar.

Ich sag ihm, er soll morgen früh zu mir ins Büro kommen, damit wir das alles der Reihe nach aufnehmen können. Das will er tun. Wir trinken noch ein Bier zusammen und dann fahr ich heim.

Kapitel 11

Wie sich hinterher rausgestellt hat, war es schon ziemlich gut, dass ich vor lauter Hunger nicht einschlafen hab können. Oder vor lauter Ferrari. Jedenfalls war es gut, dass ich in der Nacht noch zum Sportheim gefahren bin und mit dem Neuhofer geredet hab. Weil am nächsten Tag war er tot.

Wieder so eine komische Sache, muss ich schon sagen. Aber die Neuhofers sterben halt nicht einfach im Bett oder auf der Intensivstation. Die lassen sich immer etwas Besonderes einfallen.

Ich hab's noch in der Nacht erfahren, weil: da hat mich der Ferrari angerufen. Sie war ganz hysterisch und hat in den Hörer gebrüllt. Zuerst hab ich ja geglaubt, sie hätte Sehnsucht nach mir, eine ganz arge sogar, weil sie halt so gebrüllt hat. Leider hat sich aber rausgestellt, dass es einen Unfall gegeben hat. Und dann bin ich los mit dem Ludwig.

Und das war dann so: Also, der Neuhofer hat wohl noch ein oder zwei Bier getrunken und ist dann mit dem Roller gen Heimat gefahren. Den Waldweg entlang, um auf die alte Bundesstraße Richtung Landshut zu kommen. Wie immer halt.

So weit, so gut.

Jetzt hat aber die Mütze etwa zur selben Zeit die Blase gedrückt. Der Ferrari hat gesagt: »Das Klärchen hat an der Tür gewinselt, und das ist ein sicheres Zeichen dafür, dass sie eben raus muss.«

Dann ist sie also raus mit der Mütze, damit die sich entleeren kann. So, und nun rechnet man ja nicht mitten in der Nacht mit einem Mordsverkehr auf dieser Strecke. Drum hat der Ferrari die Mütze eben an der Rollleine laufen lassen, so weit die sich ausziehen lässt. Und die lässt sich zehn Meter ausziehen.

Jetzt kommt die Tragik ins Spiel.

Also, die zwei haben mit der Leine den ganzen Weg blockiert, weil der Ferrari auf der einen Wegseite gewartet hat, bis sich das Klärchen auf der anderen erleichtert. Straße abgesperrt mit der Leine, könnte man sagen. Was jetzt in der Dunkelheit für den Neuhofer leider nicht zu erkennen war. Vermutlich hat er nur die Frau gesehen, wenn überhaupt. Weil: mit ein paar Bier im Bauch lässt auch das Augenlicht stark nach. Den Hund hat er wohl noch weniger gesehen, wegen Größe, und die Leine halt gar nicht. Und dann ist er mit seinem Peugeot-Roller reingefahren, wie ein Verrückter.

Der Ferrari hat gesagt, den hat's ausgehoben, so was kann man gar nicht erzählen. Überschlagen praktisch und durch die Luft gewirbelt, und dann ist er mit einem Riesenschwung an einen Baumstamm geknallt. Direkt mit dem Genick, frag nicht! Das Klärchen hat's auch durch die Luft gewirbelt, was aber bei diesem Gewicht nicht tödlich ist.

Wie ich hinkomm, pinkelt der Ludwig gleich einmal auf dem Neuhofer seinen Fuß. Markiert sozusagen. Aber das ist jetzt auch schon wurst: keine Atmung, kein Puls, kein Gar-Nix. Zuallererst aber muss ich die völlig aufgelöste Frau beruhigen. Das ist schön. Sie liegt so an meiner Schulter, so ganz geschmeidig und weint. Es dauert ein Weilchen, bis sie sich beruhigt, aber das ist nicht schlimm. Dem Ludwig liegt das Klärchen in der Bauchmulde, und so sind wir vier eine Zeit lang völlig harmonisch mitten im Wald.

Irgendwann schau ich mir dann den Neuhofer genauer an und muss feststellen, dass er immer noch tot ist. Dann schau ich mir den Roller an, und da ist die Hundeleine zigmal um das Vorderrad gewickelt. Absolut tödlich, sag ich dir. Ich bring dann den Ferrari und die Mütze heim und muss jetzt natürlich meiner Arbeit nachgehen: Bestattung anrufen, Abtransport vom Roller organisieren, Unfallstelle sichern, Staatsanwalt informieren und so weiter und so fort.

Fertig bin ich dann genau, wie die Oma das Frühstück gemacht hat. Jetzt muss man ja sagen, Fastenzeit hin oder her, das Frühstück ist davon nicht betroffen. Schließlich muss man den Tag mit einer kräftigen Nahrung beginnen, wie soll man ihn sonst überstehen? Also, Eier mit Speck, ein paar Honig- und Marmeladensemmeln, ein feiner Früchtequark und ein Käseaufschnitt, der schließt den Magen. Nach der dritten Tasse Kaffee bin ich fertig, aber immer noch müde.

Weil mir eben der Schlaf abgeht. Weil ich nur ganz selten noch eine Nacht lang durchmach. Silvester vielleicht und das ist nicht sicher. Früher war das ja anders. Früher haben wir oft nächtelang kein Auge zugemacht. Wie wir halt noch frischer waren und der Flötzinger die Mary und der Simmerl die Gisela noch nicht am Hals gehabt haben. Aber jetzt ist das vorbei. Man wird ja auch nicht jünger, und so eine schlaflose Nacht, die hängt dir oft tagelang hinterher, mein lieber Schwan!

Jetzt will die Oma aber unbedingt die Tankgutscheine einlösen, weil, da ist sie ja misstrauisch, was Gutscheine angeht. Da sucht sie immer einen Haken dabei oder sie glaubt, die sind schon verfallen, bis man sie dann endlich braucht. Also, mit dem Papa seinem alten Hobel zur Tankstelle. Jetzt kann man sich vielleicht ungefähr vorstellen, wie viel Benzin man kriegt für fünf Gutscheine à fünf Euro. Und wenn man dann noch einen Opel Admiral Baujahr 74 tanken muss, dann ist das grad so, wie wenn man in den Chiemsee spuckt. Aber egal, die Gutscheine sind weg und die Oma auch, weil die im Verkaufsraum noch nach Schnäppchen schaut. Ich bleib derweil im Auto sitzen und schlaf ein. Wie sie kommt, hat sie drei Flaschen Frostschutzmittel im Arm, weil das im Angebot ist, und ich fahr sie heim.

Am Nachmittag kommt der Ferrari zu mir ins Büro, wegen der Unfallbeschreibung, und sie kommt genau da, wo ich grad wieder einschlaf. So geht das den ganzen Tag lang, und am Abend verzicht ich auf das magere Essen und geh gleich mit dem Ludwig die Runde, bloß um schnell ins Bett zu kommen. Der Ludwig findet unterwegs eine rostige Drahtrolle im Gebüsch und bringt sie dem Herrle, wie alles, was er findet. Er legt sie mir vor die Füße und freut sich. Ich muss ihn jetzt loben, was ich auch mache. Die Rolle nehm ich mit, damit sich niemand dran verletzt.

Der Wald ist ruhig und ich bin müde und kann kaum noch denken. Irgendwie dann aber doch, und so fällt mir auf, dass der Neuhofer doch zu hören gewesen sein muss, in der lautlosen Nacht. Ich muss das den Ferrari fragen, sobald ich sie wieder seh. So häng ich träge meinen Gedanken nach und wir gehen heim. Und nichts ist schöner, wenn einem die Augen schwer sind, als ein wohliges Bett. Da ich aber leider keins habe, leg ich mich aufs Kanapee und schlaf auch gleich ein.

Am nächsten Tag ist Karsamstag und das heißt ausschlafen. Das ist großartig. Die Oma weckt mich kurz vor Mittag und schreit mich an: »Das Lamperl ist fertig! Jetzt komm schon zum Essen!«

Jetzt muss ich vielleicht kurz erklären, dass erstens ein Lamperl ein Lamm ist und zweitens von allen Essen, wo die Oma kocht, es das einzige ist, was ich nicht mag. Am Karsamstag aber gibt es traditionell ein Lamperl. Und das auf nüchternen Magen. Es ist eine Katastrophe, weil: wenn die Oma merkt, dass es einem nicht schmeckt, da hört bei ihr der Spaß auf. Weil sie nämlich seit den frühen Morgenstunden in der verdammten Küche steht und kocht.

Und da hat's dann zu schmecken. Aus!

Dem Leopold und der Roxana schmeckt's offensichtlich schon. Wobei der Leopold eine alte Schleimsau ist und es nicht zugeben tät, wenn's anders wär. Und die Roxana frisst sowieso alles, weil die vermutlich in Rumänien, außer der eigenen Verwandtschaft, alles verwerten.

Mir schmeckt's eben nicht, aber ich tu so als ob, weil: sonst Krieg. Nach drei Scheiben Fleisch ist es mir schon schlecht und – zack – haut mir die Oma noch eine vierte auf den Teller. Später geh ich mit ihr in die Kirche zur Osternacht und jedes Mal, wenn der Pfarrer sagt: »Lamm Gottes!«, muss ich rülpsen, frag bloß nicht!

Am Sonntagabend geh ich auf ein Bier zum Wolfi und der Flötzinger und der Simmerl sind auch da. Sie haben die Schnauze voll von Ostern und Familie und Trara und müssen mal raus. Wir trinken ein paar Bier zusammen und der Simmerl erzählt, dass die OTM jetzt Sandwiches will statt Wurstsemmeln. Er aber findet das schon traurig, zumal wir hier in Bayern sind und nicht in Amerika. Machen tut er jetzt aber Sandwiches, schließlich: Wer zahlt, schafft an.

Der Flötzinger erzählt, dass seine Mary jetzt wieder mehr Flanell trägt, weil sie glaubt, das mit dem Ferrari hat sich erledigt.

»Da hat sie sich aber geschnitten, mein Lieber«, sagt er. »Weil: wenn ich nämlich die Mercedes das nächste Mal seh, dann fall ich über die her, so schnell kann die gar nicht schauen!«

»Da wirst dich aber zuerst noch einmal gedulden müssen«, sag ich so. »Weil die halt jetzt erst mal für ein paar Wochen in Kanada ist, bei ihren Eltern.«

Natürlich ist es mir eine tiefe, innere, seelische Brotzeit, dass ich den Ferrari aufgerissen hab und nicht der Flötzinger. Sagen tu ich aber nix. Weil: ein Gentleman genießt und schweigt.

Der Heizungs-Pfuscher ist jetzt betrübt, da beide Frauen in seinem Leben unerreichbar sind. Die eine wegen zehntausend Kilometer, die andere wegen Flanell. Und so ertränkt er seinen Frust in Bier, was ihm aber auch ganz gut gefällt.

Nach den Feiertagen hat mich der Alltag wieder. Ich sitz also in meinem Büro und es ist ruhig. Kein Unfall, kein Mann haut seine Frau, und so kann ich mich in aller Seelenruhe meinen Neuhoferermittlungen widmen.

Zuerst einmal möchte ich wissen, wer der Immobilienmakler war, der das Grundstück vermittelt hat. Also fahr ich zur Tankstelle, in der Hoffnung, der Anzug ist da. Ist er aber nicht.

»Der Chef kommt nur zu wichtigen Anlässen oder zu Verhandlungen«, sagt der Tankwart.

Und heut ist keins von beiden. Er kann ihn auch telefonisch nicht erreichen, weil der mit seiner Familie im Osterurlaub ist. Wer mir sonst weiterhelfen kann, weiß er auch nicht. Er kann mir nur so viel sagen, dass das Frostschutzmittel im Angebot ist.

Dann fahr ich zur Neuhoferwohnung. Ich läute beim Nachbarn und der macht mir auf. Er trägt wieder nur Unterhosen und erkennt mich sofort.

»Ja«, sagt er. »Das ist ja wirklich furchtbar, das mit dem Hans!«

»Haben Sie zufällig einen Wohnungsschlüssel von ihm?«, will ich wissen.

»Ja, logisch! Kommens' nur rein«, sagt er, dreht sich um und geht vor mir her in seine Wohnung. Auf dem Schulterblatt hat er die Oma eintätowiert. Ich muss jetzt gleich zweimal hinschauen, aber es ist tatsächlich die Oma. Die Oma, wenn sie ihre Haare nicht hochgesteckt hat, sondern offen, wie in der Früh zum Beispiel. Jetzt frag ich mich natürlich, wieso der Nachbar vom Neuhofer die Oma auf dem Rücken eintätowiert hat.

»Sagen Sie mal, was haben Sie denn da Schönes auf dem Rücken tätowiert?«, frag ich, weil ich nicht gleich nach der Oma fragen will.

»Ja, wissen Sie das denn nicht?«

Er sagt das so, als hätt ich ihn grad nach dem Planeten gefragt, auf dem wir leben. Ich schüttele den Kopf und es ist mir fast peinlich.

»Ja, das ist doch der Gandalf!«, sagt er und ringt um Fassung.

Der Gandalf also. Ich nicke.

Wir betreten seine Wohnung, wobei ich sagen muss, dass jetzt das Wort »Wohnung« eine unglaubliche Übertreibung ist. Ein Zimmer, ich würd mal sagen, mein Kanapee könnte man im besten Fall hochkant reinstellen. Die

Wände über und über mit Postern verklebt, was die Enge noch deutlich steigert. Keine Möglichkeit, irgendwohin auszuweichen. So stehen wir also Brust an Brust, und dann langt er an den Schlüsselhaken hinter mir, und zuerst glaub ich, er will mich umarmen. Aus irgendeiner Ecke piepst und quiekt es ganz nervig und ich frag ihn, was das ist.

»Der Gandalf und der Frodo sind das«, sagt er.

Und jetzt wird's mir langsam zu blöd. Er merkt das und deutet auf die Meerschweine, wo in einem Käfig am Boden stehen, quietschen und stinken. Ich schau mir die Poster noch einmal genauer an und langsam dämmert's: ›Herr der Ringe‹, wohin man schaut. Auf jedem einzelnen Poster. ›Herr der Ringe‹ all over the world, du ahnst es nicht. Oder sagen wir, all over dem Wohnklo hier.

Ich nehm dann den Schlüssel und bedank mich.

Er sagt: »Kein Problem, Meister! Aber wiederbringen, wenn's recht ist. Nicht, dass ich dann auch noch nachlaufen muss.«

Ich geh in die Wohnung vom Neuhofer, und dort ist alles unverändert. Eine Matratze am Boden, ein Haufen Kartons und fertig. Ich weiß jetzt auch nicht recht, was ich hier genau will, und fang an, in den Kartons zu kramen. Es sind siebzehn und die meisten davon voller Klamotten, Handtücher, Bettzeug und so fort. Ein paar mit Fotos und persönlichen Dingen, und einer mit Akten. Den nehm ich mir vor, obwohl mich die Fotos schon auch anlachen täten.

Aber Dienst ist Dienst, also die Akten.

Nach zwanzig Minuten werd ich fündig und hab die Unterlagen vom Hausverkauf in der Hand. Immo-Novum steht auf dem Ordner. Den nehm ich mit. Der ist praktisch beschlagnahmt. Ich geb bei dem Nackten nebenan den Schlüssel zurück und sag: »Der Ordner ist beschlagnahmt und aus. Brauch ich für meine Ermittlungen.«

Jetzt wird er neugierig.

»Ermittlungen? Ja, was denn für Ermittlungen? Ich denke, es war ein Unfall?«

Und bis ich schau, steh ich wieder Brust an Brust mit ihm in der Zwangszelle.

»Setzen Sie sich doch!«, sagt er und schubst mich auf ein Sofa, wo bergeweis Wäsche liegt. Ich hoffe inständig, sie ist unbenutzt, und rutsch auf die äußerste Kante.

»Wenn das mit dem Hans ein Unfall war, warum ermitteln Sie denn dann eigentlich?«, bohrt er weiter.

»Ja, mei, Intuition halt«, sag ich. »Da muss man alle Möglichkeiten in Betracht ziehen.«

»Gell, Intuition. Das sag ich auch immer. Man muss auf die Stimmen hören.«

Er kommt jetzt richtig in Fahrt.

»Wissen Sie, ich hör auch auf die Stimmen«, sagt er weiter, wobei er mir jetzt ein bisschen verwirrt vorkommt.

»Wo genau arbeiten Sie eigentlich?«, möcht ich dann wissen.

»Gar nicht mehr«, sagt er und zuckt mit den Schultern. »Es ist auch besser so. Weil: wenn der Frodo und der Gandalf den ganzen Tag lang allein sind, dann sind sie halt immer so deprimiert, wissens'. Aber um noch mal auf die Stimmen zurückzukommen, weil es mir halt sonst niemand glaubt, das mit den Stimmen, mein ich.«

»Ich weiß jetzt nicht recht, worauf Sie hinauswollen«, sag ich, weil ich's wirklich nicht weiß.

»Ja, die Stimmen, die ich hör. Die halt aus dem Radio«, sagt er und ich steh auf, weil's mir jetzt langt.

»Ja, Stimmen aus dem Radio hört doch ein jeder! Dafür hat man doch ein Radio!«

Ich werd langsam lauter und will da raus.

»Aber die mein ich doch gar nicht!«

Er hindert mich am Gehen und ich taste nach der Waffe.

»Schauns'«, sagt er und kriecht hinters Sofa. Dort zieht er ein abgeschnittenes Stromkabel hervor.

»Ich hab's durchgeschnitten. Weil ich geglaubt hab, dann sind die Stimmen weg. Aber nix! Kein Strom und trotzdem Stimmen«, schnauft er und setzt sich wieder hin.

»Also, wo genau haben sie früher einmal gearbeitet?«

Ich muss das jetzt fragen, weil ich so einen Verdacht hab.

»Ja, in der Lackfabrik halt.«

Hab ich's doch gewusst.

Ja, es sind diese Dämpfe, wo dich zum geistigen Krüppel machen. Da hat der Neuhofer noch direkt ein Glück gehabt, muss man schon sagen. Wer weiß, was aus dem noch geworden wär!

»Der Gandalf auf Ihrem Buckel hat ja gar keinen Bart«, sag ich so im Hinausgehen.

»Der kommt noch, wenn ich wieder flüssig bin«, sagt der Ex-Nachbar vom Neuhofer. Oder besser: der Nachbar vom Ex-Neuhofer.

Kapitel 12

Wie ich heimkomm, sitzt der Leopold in der Küche und flennt. Die Oma steht am Herd und macht Bratkartoffeln mit Zwiebeln und Speck und es raucht, dass auch mir gleich die Augen tränen.

Nach dem Essen flennt der Leopold immer noch und ich find, man kann alles übertreiben. Wie sich dann aber herausstellt, flennt der Leopold nicht wegen den gebratenen Zwiebeln, sondern wegen der Roxana. Weil: die ist ihm nämlich auf und davon. Praktisch abgehauen und übergelaufen mit wehenden Fahnen zu einem von seinen Bestsellerautoren. Das hat er jetzt davon! Von seiner Rumänenschlampe. Ich kann mir ein Grinserl nicht verkneifen und überlass ihn dann seinem Elend, dem Papa und den Beatles.

Ich dreh mit dem Ludwig meine Runde und wir haben eins-sechzehn gebraucht, was ein Rekord ist. Vermutlich hat mich der weinerliche Leopold dermaßen beflügelt, dass ich ein Tempo draufgekriegt hab sondergleichen.

Danach hab ich versucht, den Ferrari anzurufen, es hat aber leider nicht geklappt. Ja, nach Quebec zu telefonieren ist auch nicht so einfach. Da können die telefontechnisch so weit sein, wie sie wollen. Es liegt schließlich in Kanada.

Am Abend beim Wolfi ist der Flötzinger da und hat schon einen ziemlichen Rausch.

»Jeden Tag jetzt dasselbe«, sagt der Wolfi. »Der sauft sich weg, das kannst gar nicht glauben. Dass ihm da seine Mary mitspielt?«

Etwas später schläft der Flötzinger am Tisch ein mit dem Bier in der Hand. Noch später fällt er vom Stuhl. Und ob du's glaubst oder nicht, er liegt da krumm und schief am Boden, und das Einzige, was kerzengerade in die Luft ragt, ist sein Bierglas. Und er hat keinen einzigen Tropfen verschüttet. Ja, er weiß halt schon noch, was wesentlich ist.

Ich pack ihn dann und bring ihn nach Hause und übergeb ihn dort der Mary im Flanell.

Bei mir daheim hocken noch immer der Leopold und der Papa mitsamt Rotwein und Beatles und beide weinen. Mir wird das jetzt zu blöd und ich schnapp mir den Ludwig und geh ins Bett.

Am nächsten Tag geh ich den Ordner vom Neuhofer durch und kann allerlei finden, aber nicht den Kaufvertrag. Kein Vertrag, kein Kaufpreis, kein Gar-Nix. Ich fahr zu meinem nackten Kumpel, aber der ist nicht daheim. Ich versuche wieder, den Ferrari zu erreichen – vergeblich. An manchen Tagen ist es gescheiter, man steht gar nicht erst auf, weil's eh nix bringt.

Ich ruf den Birkenberger Rudi an, weil ich sonst auch nix weiß, und wir verabreden uns fürs nächste Wochenende. Dann kommt noch die Susi zu mir ins Büro und fragt mich, was ich machen will zum Dienstjubiläum vom Bürgermeister. Das ist in zwei Wochen und jeder macht was. Der Pfarrer hält eine Rede, die Sekretärin singt, die Susi und zwei andere aus der Verwaltung machen ein kleines Bühnenstück. Irgendwie kann ich sie gar nicht recht anschauen, weil sie so nett ist und mich ständig anflirtet. Und ich muss dabei an den Ferrari denken. Dann sagt sie: »Ja, was ist jetzt, Franz? Was machst jetzt für den Bürgermeister?«

Und ich sag: »Ja, nix! Meinst, ich mach mich da vorm ganzen Dorf zum Deppen?«

Und lass sie stehen. Also, gut ist es mir nicht dabei, aber anschauen mag ich sie auch nicht mehr.

Ein paar Tage später kann ich endlich den Anzug erreichen. Ich fahr eben wieder an die Tankstelle und erfahr dort, dass er zurück ist von seinem Urlaub. Wird ja auch Zeit. Der Tankwart macht mir die Verbindung und ich rede. Der Anzug ist kurz angebunden wegen einem kreuzwichtigen Meeting.

»Was wollen Sie denn noch um Gottes willen?«, knurrt er durch den Hörer.

»Ja, ich wüsste halt schon gern, warum jemand eine halbe Million zahlt für ein Grundstück, wo es nicht wert ist«, sag ich jetzt erst mal.

»Uns ist es das schon wert. Weil wir die Summe in spätestens einem Jahr wieder drin haben. Wissen Sie, die Nachfrage bestimmt den Preis. Und wir waren nicht die Einzigen, die das Grundstück für 'ne Tankstelleneinrichtung haben wollten, das dürfen Sie mir schon glauben!«

»Aha«, sag ich.

»Sonst noch was?« Er ist genervt.

»Das Immobilienbüro. Wie heißt das Immobilienbüro, mit dem Sie abgeschlossen haben?«

»Herrgott noch mal ... warten Sie, Immo, Immo ...«

»Immo-Novum?«

»Exakt! So, und wenn sonst nichts mehr ist, ich habe tatsächlich zu tun!«

Mir fällt jetzt auf die Schnelle auch nix mehr ein, und grad wie's mir einfällt, sagt er: »Na gut, das war's dann wohl. Und jetzt lassen Sie mich bitte ein für allemal zufrieden!«

»Wen ich zufrieden lasse und wann, entscheid ich dann schon selber«, sag ich grad noch, dann ist die Leitung tot.

Am Nachmittag krieg ich natürlich postwendend einen Anruf vom Dr. Dr. Specht. Er will wissen, was ich denn schon wieder so alles ermittle, und sagt, dass ich unbescholtenen Mitbürgern unglaublich auf die Eier geh. Ich soll jetzt dringend mal nach München kommen, er will sich das anschauen.

Der tut ja grad so, als ob ich eine Schraube locker hätt, und das könnt er sich dann anschauen. So nach dem Motto: »Ja, was haben wir denn da, Eberhofer? Das ist ja eine Schraube, die locker ist!«

Ich sag ihm dann, dass bei mir alles im grünen Bereich ist, und leg auf.

Nach diesem Gespräch bin ich zugegebenermaßen rotzgrantig und mir wird langsam klar, dass ich mit meinen Ermittlungen jetzt Gas geben muss. Also wälz ich noch mal den Neuhoferordner durch und finde wenigstens die Adresse vom Notar, der den Grundstücksverkauf gemacht hat. Ich setz mich in den Streifenwagen und fahr direkt hin.

Dort erfahr ich, dass der Neuhofer tatsächlich zum Preis von fünfzigtausend verkauft hat, und zwar direkt an den Immobilienmakler. Und der dann vermutlich weiter an die OTM. Das aber weiß der Notar leider nicht, weil er diese Sache dann eben wieder nicht gemacht hat.

Jedenfalls ist der Makler in München sesshaft, und dort ruf ich dann an. Der Anrufbeantworter teilt mir mit, dass das Büro der Immo-Novum momentan leider nicht besetzt ist. Das teilt er mir auch am nächsten Tag mit und am übernächsten. Momentan leider nicht besetzt, ununterbrochen. So geht das eine ganze Weile, und dann geht noch nicht mal mehr der Anrufbeantworter ran. Doch, eigentlich schon, nur nicht der gleiche. Weil jetzt nämlich heißt es, dass die gewählte Rufnummer leider nicht vergeben ist.

Na, bravo.

Wie ich am Samstag zum Birkenberger fahr, mach ich zuvor noch einen kleinen Abstecher, eben zu diesem Maklerbüro. Ich kann die Adresse gleich finden, Schwabing, gute Lage, allerdings Hinterhaus. Von der Immo-Novum keine Spur. Weder am Briefkasten noch an der Klingel, von einem Firmenschild ganz zu schweigen.

Ich frag mich so durch die ganze Nachbarschaft und muss hören, dass das Maklerbüro weg ist. Seit Anfang des Monats. Und keiner weiß, wohin.

Ich komm durch meine Ermittlerei glatte dreißig Minuten zu spät zum Birkenberger, und der zieht mir eine Lätschn. Beruhigt sich aber relativ schnell wieder und erzählt mir ein bisschen vom Job, während er in der Speisekarte stöbert.

Wahnsinnig interessant ist das alles und unglaublich spannend. Und man kann sich gar nicht vorstellen, wie viele Menschen eigentlich fremdgehen. Alle sozusagen. Kaum eine Ausnahme, sagt der Rudi. Er bestellt ein Wiener Schnitzel und ich ein Schaschlik, beides mit Pommes und Salat. Dann frag ich ihn, ob er denn jetzt ständig irgendwelchen Ehepartnern hinterherschnüffelt.

»Hinterherschnüffeln!«, sagt der Birkenberger.

Der Tonfall äußerst abfällig.

»Observieren heißt das! Dazu muss man geboren sein!«

Er wirft mir einen Blick zu, und ich wiederhol mich nur ungern, aber äußerst abfällig, muss ich schon sagen.

»Schau, Franz. Wie ich grad in der Speisekarte gelesen hab, da hast du gemeint, ich les in der Speisekarte, oder?«, fragt er, und ich find die Frage mehr als blöd.

Ich nicke.

»Ja, das hat aber natürlich nur von außen den Anschein. In Wahrheit aber, kann ich dir sagen, die Frau mit dem grünen Lodenmantel hat in der Handtasche einen Geldbeutel aus Nappaleder. Der Typ mit der Windjacke hinkt. Für einen Ungeübten nicht sichtbar, aber er hinkt. Hat sich wahrscheinlich vor kurzem den Fuß gebrochen. Die zwei Paare hinter dir sind verheiratet. Und doch haben die Frau im roten Pulli und der Mann ihr schräg gegenüber ein Verhältnis miteinander. Und ihre Partner wissen es nicht.«

»Und das hast du jetzt alles in der Speisekarte gelesen?«, frag ich so und hab jetzt auch einen abfälligen Ton drauf.

»Geh, Depp! So was liest man doch nicht in der Speisekarte. Man liest überhaupt keine Speisekarte. Man tut nur so als ob. Was ich zum Essen will, das weiß ich doch schon vorher. Und hab in der Zwischenzeit wunderbar die Möglichkeit zum Observieren.«

Gott sei Dank kommt dann unser Essen. Und diesmal tut er nicht so als ob, sondern er isst. Er drückt eine Tube Ketchup auf seine Pommes und sie ersaufen darin. Dann erzählt er mir mit vollem Mund von seinen miesen Schnüffeleien. Im Grunde genommen geht das den ganzen Abend so und ich muss schon sagen, dass es mich nervt. Ganz zum Schluss allerdings kommt das Gespräch auf mich und meinen popeligen Job. Und da fällt mir die Immo-Novum wieder ein. Wie ich dem Rudi davon erzähl, sagt er gleich: »Gar kein Problem, Franz. In zwei oder drei Tagen kriegst du einen Bescheid von mir, was daraus geworden ist. Vielleicht sind sie nur umgezogen. Oder Konkurs. Alles möglich. Ich find das raus, kein Problem.«

Na also! Wozu selber arbeiten, wenn's andere für dich tun? Soll der Rudi observieren, ich bin besser im Delegieren.

Wie ich am nächsten Tag in mein Büro komm, ist die Susi schon da und kocht Kaffee. Sie sagt, dass sie nun endlich einmal Zeit gefunden hat, wegen der Frau Mercedes Dechampes-Sonnleitner nachzuschauen. Und sie hat herausgefunden, dass auch im Umland von München niemand gemeldet ist mit diesem Namen. Der letzte Eintrag bei uns in der Gemeinde ist eine gewisse Margit Dechampes-Sonnleitner, Geburtsjahr 1944. Das ist offiziell auch die letzte Besitzerin des Sonnleitnerguts. Sie ist 1973 mit ihrem kanadischen Ehemann in seine Heimat umgesiedelt, und bis zu diesem Zeitpunkt waren keine Nachkommen bekannt.

Ja, das hilft mir jetzt auch nicht weiter, weil ich immer noch nicht weiß, wie ich den Ferrari erreichen kann. Die Susi ist ein bisschen angesäuert, weil sie halt ein Mords-Hurra für ihre Bemühungen erwartet hat. Aber ich kann jetzt auch nicht raus aus meiner Haut.

Am Nachmittag ruf ich dann den Leopold an in seiner blöden Buchhandlung, was mir einigermaßen schwerfällt. Aber er kennt halt lauter gescheite Menschen. Und so was brauch ich jetzt. Ich brauch nämlich jemanden, der sich mit Berechnungen von Entfernungen und Gewichten auskennt.

»Sagen wir, ich hab einen kaputten Karabiner, an dem ein sattes Gewicht hängt. Kann mir da jemand schon vorher berechnen, wann der durchreißt?«, frag ich ihn so.

»Ich glaub schon. Wenn man das ungefähre Gewicht weiß, kann das wahrscheinlich ein jeder, der einigermaßen fit ist in Mathe. Aber zumindest weiß das ein Statiker, vermutlich auch ein Architekt. Aber ich hör mich mal um«, sagt der Leopold und ist unerwartet nett zu mir. Was mir jetzt ein schlechtes Gewissen macht und mich zu diesen Fragen nötigt: »Und sonst? Geht's dir gut? Hast du noch was von der Roxana gehört?«

Ich bin eine kolossale Schleimsau.

»Die Schlampe hat mir mein Konto abgeräumt. Nicht das geschäftliche, da hat sie ja keinen Zugriff drauf, aber mein ganzes Privatgeld ist weg. Wenn ich sie find, bring ich sie um! Nur dass du das weißt!«

Er ist furchtbar grantig.

»Ja, gut, dass ich das weiß. Tu dir keinen Zwang an und meld dich, sobald du wegen den Berechnungen was rausgefunden hast!«

»Mach ich«, sagt er und legt auf.

Kapitel 13

Wie ich heimkomm, ist ein Trara bei uns am Hof, das kann man gar nicht glauben. Ein Sanka ist da mit Blaulicht und ein Notarzt, und alle sind ganz hektisch. Die Oma kniet in der Wiese hinterm Haus und ich glaub schon, dass wunder was passiert ist. Dann erfahr ich, dass sich der Papa beim Grasmähen mit der Sense zwei Zehen abgeschnitten hat. Er liegt auf einer Trage und ist ganz blass und deutet immer in die Richtung, wo er seine Zehen vermutet. Der Arzt sagt, wenn wir sie schnell finden, kann er sie noch annähen, und so knie ich mich halt auch ins Gras und fang an zu suchen. Ich suche und suche, dann läutet mein Telefon. Wie ich rangeh, meldet sich der Ferrari und ich bin plötzlich ganz aufgeregt.

»Hallo, Baby! Kannst du mich hören? Ich glaub, die Verbindung ist schlecht«, flötet sie.

Ich schnauf wie ein Ochs wegen Aufregung, und weil mir die Knie wehtun vom Suchen, und sag: »Nein, wunderbar, die Verbindung ist einwandfrei«, weil mir nix Besseres so spontan einfällt.

»Stör ich dich? Du klingst so aufgeregt. Was machst du denn so Aufregendes gerade?«

»Nix! Nein, gar nix besonderes. Ich such bloß ein paar Zehen.«

Im gleichen Moment, wo die Buchstaben meine Lippen verlassen, möchte ich tot umfallen.

»Du sucht ein paar Zehen? Du, Franz, ich glaub, die Verbindung ist doch ziemlich schlecht. Ich hab jetzt verstanden, du suchst ein paar Zehen. Lustig, oder? Ich ruf dich später noch mal an, vielleicht haben wir da mehr Glück!«, spricht's und hängt auf.

Verdammt! Verdammt!

Ich find einen von den Zehen, schmeiß ihn dem Papa auf die Trage und knurr ihm zu: »Such dir doch deine Scheißzehen selber!«

Dann geh ich in den Saustall.

Ein wenig später fährt der Sanka mit Blaulicht aus dem Hof und die Oma winkt hinterher, wie einem Besuch, den man gern wieder los ist. Dann klopft sie an mein Fenster und schreit: »Du, Franz, heut kriegst zwei Fleischpflanzerl mehr, weil der Papa nicht mitisst.«

Ja, wenn das keine Freude ist.

Den restlichen Abend verbring ich abwechselnd damit, die Nummer vom Ferrari zu wählen oder aufs Telefon zu starren. Die nächsten zwei Tage auch.

Die Zehen vom Papa konnten nicht wieder angenäht werden. Weil sie den einen gar nicht erst gefunden haben und der zweite schon so dreckig war, und ich glaub auch schon ein bisschen abgestorben. Jedenfalls liegt er jetzt im Krankenhaus wie der sterbende Schwan, der Papa, und macht mir einen Flunsch, weil ich mich geweigert hab, seinen zweiten Zeh zu suchen.

»Geh, Papa. Das hätt doch eh nix genutzt. Die haben ja noch nicht einmal den angenäht, wo ich gefunden hab«, sag ich beim Besuch.

»Um das geht's doch gar nicht. Weil du das gar nicht gewusst hast davor. Aber es hätte ja sein können, dass die alles wunderbar hätten wieder annähen können, und du vermasselst das, bloß, weil du zu faul bist zum Suchen!«, sagt er und macht ein finsteres Gesicht. Aber nur kurzzeitig.

Weil dann geht die Tür auf und der Leopold kommt rein. Das heißt, zuerst kann man gar nicht erkennen, wer reinkommt, weil im Grunde nur ein riesiger Blumenstrauß reinkommt. Dann aber haben wir schon gemerkt, dass dahinter der Leopold steckt. Jetzt macht der Papa kein finsteres Gesicht mehr, sondern ein überglückliches, und wie der Leopold noch so mitfühlend fragt, wie es ihm geht, kommt mir gleich das Kotzen. Ich verabschiede mich und bin grad so am Gehen, da hält mich der Leopold auf und sagt: »Ach ja, Franz, das mit dem Karabiner ist genauso, wie ich's vermutet hab. Das kann dir ein jeder Mathestudent ausrechnen. Auf alle Fälle jeder Architekt oder Statiker. Ziemlich genau sogar, ein paar Sekunden hin oder her. Immer vorausgesetzt natürlich, man kennt das Gewicht ungefähr und die Beschaffenheit des Karabiners. Und wenn du wieder mal was wissen willst, nur zu! Du kennst ja meine Nummer.«

Er ruft das so über seine Schulter und massiert derweil dem Papa seine Hand. Dem springt der Stolz auf seinen älteren Sohn direkt aus den Augäpfeln und ich geh lieber, bevor ich hier das Linoleum versau.

Man kann es also berechnen! Wer auch immer den neuen Karabiner gegen den defekten vertauscht hat, muss das gewusst haben. Also kann der Containerunfall problemlos ein Mord gewesen sein. Ich fahr zum Moratschek. Er hat grad eine Verhandlung, und so wart ich derweil in der Gerichtshalle. Wie er mich sieht, verdreht er schon die Augen.

»Eberhofer, was für eine Freude! Was kann ich für Sie tun?«, fragt er und hetzt an mir vorbei direkt auf sein Büro zu. Er streift seinen Umhang ab und hängt ihn an den Haken. Schlüpft in sein Sakko und setzt die karierte Kappe auf, die sein Jahrgang sein dürfte. Dann nimmt er eine gute Prise Schnupftabak und schaut mich über seinen Handrücken hinweg an.

»Der Neuhoferfall«, fang ich an. Und weil ich merk, dass er es eilig hat, werd ich nervös.

»Herrgott, Eberhofer! Es gibt keinen Neuhoferfall. Eine Reihe Unglücksfälle, weiter nichts«, unterbricht er mich.

»Aber in der Regel werden doch Ermittlungen angestellt, wenn etwas ungewöhnlich ist, oder?«

»Ausnahmen bestätigen die Regel! Und außerdem ist gar nichts ungewöhnlich daran.« Er schnauft tief ein und wieder aus. »Schauen Sie, Eberhofer. Wenn man jetzt die Fälle nicht zusammen sieht, sondern jeden für sich allein, würde man da von einem Unglück ausgehen oder von Mord?«

Ich zuck mit den Schultern und bin ziemlich angepisst.

»Sehen Sie! Und nun ist es eben mal so, dass

in ein und derselben Familie alle verunglücken. Nicht der Regelfall – gewiss – aber wie gesagt, Ausnahmen …«

»… bestätigen die Regel!« Ich vervollständige den Satz, nur um ihn nicht noch einmal von ihm hören zu müssen.

»So ist es, Eberhofer!« Er schnauft tief durch, kratzt sich an der Stirn und spricht weiter: »Eberhofer, ich kann mir schon vorstellen, dass es da auf dem Land jetzt nicht so der Brüller ist. Bisschen langweilig, gell? Ja, das glaub ich gern. Aber dass Sie da sind, wo Sie jetzt sind, ist Ihre eigene Schuld und nicht die meine. Und Sie müssen jetzt versuchen, das Beste daraus zu machen, und nicht ständig irgendwelchen Hirngespinsten hinterherjagen. Machen Sie einen netten Schülerlotsen oder stellen Sie sich vors Vereinsheim Rot-Weiß und kassieren ein paar Scheine. Da ist doch keiner mehr nüchtern, wenn er heimfährt. Aber lassen Sie um Himmels willen diese Unglücksfälle Unglücksfälle sein. Und – äh – ja, machen Sie einen Termin aus beim Spechtl, verstanden? Und jetzt entschuldigen Sie mich bitte, ich muss zum Stammtisch.«

Später ruf ich den Birkenberger Rudi an, mal schauen, was der rausgefunden hat. Leider erreich ich ihn mitten in einer Observation, er kann nur flüstern und verspricht zurückzurufen.

Kapitel 14

Wie ich ins Büro komm, überfällt mich die Susi. Sie kommt gleich hinter mir zur Tür rein, knallt sie zu und brüllt mich an, so was hab ich in meinem ganzen Leben noch nicht erlebt. Weil sie nämlich gestern beim Wolfi erfahren hat, für was ich die Anschrift vom Ferrari brauch. Jetzt weiß sie also, dass das keine dienstliche Anfrage war, sondern eher privater Natur.

»Du unverschämter Arsch!«, schreit sie. »Ja, glaubst denn du, ich mach mich zum Affen und such dir die Adressen raus für deine Bumsereien? Lass dich bloß nicht mehr blicken bei mir, sonst kratz ich dir die Augen aus!«

Dabei macht sie mit den Fingern eine Bewegung, dass es mir eiskalt den Buckel runterläuft.

»Geh, Susi«, sag ich so und pack sie am Arm und – patsch – haut sie mir eine runter, dass es mir gleich ganz schwindelig wird. Ich sag jetzt nix mehr, weil sie sich lieber erst beruhigen soll.

Auf dem Heimweg mach ich noch beim Wolfi halt, weil ich natürlich schon wissen will, warum er so was rumerzählt.

»Was soll ich denn rumerzählt haben?«, fragt er, indem er mein Bier zapft.

»Ja, der Susi hast halt erzählt, dass ich was mit dem Ferrari hab, du altes Waschweib!«

»Brrr, immer langsam mit den wilden Pferden!«, sagt der Wolfi und langt mir mein Bier übern Tresen.

»Das hab ich ja noch gar nicht gewusst, das mit dir und dem Ferrari.«

Jetzt muss ich scharf nachdenken und komm drauf, dass der Wolfi das wirklich nicht gewusst haben kann. Woher auch? Ich hab's ihm nicht erzählt und der Ferrari vermutlich auch nicht. Die war ja auch seitdem nicht mehr hier. Und sonst weiß es ja keiner.

Der Wolfi grinst.

»Ja, komm, lass hören! Du und der Ferrari also ...«

»Ach, vergiss es!«, sag ich so, leg ihm mein Geld hin und geh.

»Vielleicht hat sie es der Susi ja selber erzählt«, schreit mir der Wolfi nach, und wie ich mich umdreh, trinkt er grad mein Bier.

»Wer, selber?«

»Ja, der Ferrari halt.«

»Und wie meinst, käm die Susi zum Ferrari? Glaubst du, die ist grad mal schnell nach Kanada geflogen, um rauszufinden, was wir zwei Hübschen so treiben, du Depp?«

»Du, gell, sei vorsichtig! Sonst kriegst nämlich ein Hausverbot, dass du nur so schaust!«

Ich wink ab und dreh mich grad wieder zum Gehen, da brummt er mir noch mal hinterher: »Vielleicht hat sie es der Susi ja da bei mir herinnen erzählt.«

Jetzt wird's mir langsam zu blöd und ich setz mich wieder auf den Barhocker. Beug mich übern Tresen, so weit wie ich kann, und pack den Wolfi am Kragen, dass er nach Luft japst. Dann erfahr ich, dass der Ferrari tatsächlich gestern hier war.

Ich bin fassungslos.

Ich lass den Wolfi aus und schnauf erst mal durch. Der Ferrari war also hier im Lokal und hat den Abend an der Seite vom Simmerl und von der Susi verbracht! In allerfeinster Harmonie! Ich trink das Bier auf Ex, obwohl der Wolfi da seinen Rüssel schon drin hatte und bestell mir gleich noch eins. Danach geh ich heim, weil der blöde Wirt auch nicht mehr weiß. Ich versuch den ganzen Abend, den Ferrari telefonisch zu erreichen, natürlich vergeblich.

Die Dienstjubiläumsfeier vom Bürgermeister ist gigantisch. Die Presse ist da und das Regionalfernsehen. Es gibt eine Lobesansprache nach der anderen, unzählige Gratulanten, unzählige Gesangs- und Gedichteinlagen und natürlich das Bühnenstück von den Verwaltungsdamen. Der Bürgermeister schreitet herrschaftlich den Gang entlang, seine Lakaien im Kielwasser, und redet mit diesem und jenem, und schließlich auch mit mir. Er sagt, er braucht ab sofort dringend einen Schülerlotsen für morgens und mittags, und zwar an der Hauptstraße zur Bushaltestelle.

»Aber da ist doch ein Fußgängerüberweg samt Zebrastreifen«, werf ich jetzt ein.

»Das spielt keine Rolle, Eberhofer! Wir müssen auf Nummer sicher gehen. Schließlich sind die Kinder unsere Zukunft! Und jetzt entschuldigen Sie mich bitte.« Und weg ist er.

Später ruft mich der Birkenberger Rudi an und entschuldigt sich, dass er nicht früher angerufen hat. Aber er steckt da in einer Observierungsgeschichte, die wahnsinnig zeitintensiv ist, und so ist er noch nicht dazu gekommen, sich um meinen Kram zu kümmern. Ich sag ihm, er soll mich am Arsch lecken. Das war eigentlich das, was ich dem Bürgermeister sagen wollte und mich nicht getraut hab. Und so sag ich's halt stellvertretend dem Birkenberger. Weil der mich aber kennt wie seine Westentasche, sagt er nur: »Sobald ich dazu komm, ist es das Erste, was ich tu, Franz. Dich erstens am Arsch lecken und zweitens deine Nachfragen bearbeiten, ich schwör's! Aber es kann noch ein paar Tage dauern. Ich meld mich wieder.« Und dann legt er auf.

Da mein Tag jetzt eh schon versaut ist, geh ich bei meiner Runde mit dem Ludwig am Sonnleitnergut vorbei. Ich hab einen geringen Hoffnungsschimmer, den Ferrari zu treffen, und wenn nicht, wird es mich umbringen. Und das ist genau das, was mir heute noch fehlt. Ein bisschen Seelenqualen.

Wie ich hinkomm, ist sie erwartungsgemäß nicht da und ich muss mich tierisch zusammenreißen, nicht die Fenster einzuwerfen. So ganz klappt es leider nicht, aber es ist nur das Scheunenfenster, wo in Stücke springt. Der Ludwig drückt mir den Kopf gegen den Schenkel und wir wandern heim.

Dort ist gerade der Papa aus dem Krankenhaus entlassen worden und der Leopold hat ihn mit seinem Auto hergebracht. Die Oma hat zur Feier des Tages ein Kartoffelbratl gekocht.

Und der Papa macht an seiner Krücke Gehübungen der erbärmlichsten Sorte in Richtung Plattenspieler. Weil's mir heute langt, schnapp ich mir meine Essensportion, ein Bier und den Ludwig und verzieh mich in den Saustall rüber.

Am nächsten Tag in aller Herrgottsfrüh klopft jemand an mein Fenster, dass ich gleich vom Kanapee fall. Ich hab schlecht geschlafen und krieg kaum die Augen auf. Und wie ich die Tür aufmach, steht die Roxana davor. Ich bin einigermaßen überrascht, und das sieht sie wohl auch, weil sie gleich das Wort ergreift: »Franz, du musst mir hälfen! Du musst räden mit dem Läobold. Ich hab einen Fähler gemacht. Das passiert doch jädem mal.«

Ich bin noch nicht wach, hab noch keinen Schluck Kaffee getrunken und das Einzige, was mir jetzt einfällt ist: »Schleich dich!«

Ich dreh mich ab und seh aus dem Augenwinkel heraus, dass die Oma grad den Abfall rausbringt. Und die Oma sieht wohl auch aus dem Augenwinkel heraus, dass die Roxana vor meiner Tür steht.

»Ja, du Saumensch, du miserables!«, schreit sie und hetzt übern Hof. »Schau bloß, dass dich schleichst!«

Hinter der Oma erscheint jetzt der Leopold im Schlafanzug, wahrscheinlich durch das Organ von der Oma aufmerksam geworden.

»Läobold!«, ruft die Roxana.

»Roxana!«, ruft der Leopold.

Und sie stürmen aufeinander zu, genau wie in einem Kitschfilm, und fallen sich in die Arme, dass wir nur so schauen.

Der erste Tag als Schülerlotse ist genau so, wie ich's mir vorgestellt hab. Ich steh da also mit meiner Kelle am Zebrastreifen, bekleidet mit der kompletten Uniform, samt Kappe und weißen Handschuhen. Ein jedes von den Kindern weiß einen blöden Kommentar über mich, vielleicht mit Ausnahme von den Erst- und Zweitklässlern, weil die noch einen Respekt haben vor der Polizei. Ich mag die Sprüche jetzt gar nicht alle wiedergeben, aber doch kurz den vom Bürgermeistersohn: »Ja, der Papa hat gesagt, dem muss er jetzt eine Aufgabe geben, nicht dass der noch völlig am Radl dreht.«

Der zweite Tag war zuerst auch nicht besser, weil: da entdeckt mich nämlich die Oma. Sie hat von einer ihrer Ratschweiber erfahren, dass ich jetzt in der Früh und mittags da steh, wo ich steh, und um Viertel nach sieben wackelt sie an. Schreit schon aus der Ferne: »Ja, Franz! Schön, dass ich dich einmal im Einsatz sehen kann! Das machst du hervorragend! Und schneidig schaust du aus! Und du kannst da die Autos so aufhalten, grad so wie du magst, gell?«

»Grad so wie ich mag!«, sag ich.

Und das bringt mich auf eine Idee.

Damit die Oma eine Freude hat und die Kinder auch, beschließ ich jetzt, jedes Schulkind einzeln über die Straße zu führen. Das heißt: Autos anhalten, ein Kind darf rüber, Autos können weiterfahren. Aber höchstens zwei oder drei, dann kommt das nächste Kind. So geht das eine Weile und wir haben eine Mordsgaudi und in null Komma nix einen erstklassigen Stau, mit lauter hupenden Autos. Bei vierzig, fünfzig Schülern kann das schon eine Weile dauern, bis die alle drüben sind. Und der Schulbus kommt glatte zwanzig Minuten zu spät, weil er eben im Stau gestanden ist.

Wie ich hernach in mein Büro komm, muss ich natürlich prompt zum Bürgermeister, klarer Fall. Er ist purpurrot im Gesicht und schlecht gelaunt. Bevor er aber überhaupt einen Mucks von sich geben kann, sag ich: »Aber das ist doch genau das, was Sie wollten, oder? Sicherheit für unsere Kinder, weil die unsere Zukunft sind. Und sicherer geht's nicht, Bürgermeister. Keinerlei Risiko, verstehen Sie. Jedes Kind wird von mir persönlich und einzeln über die Straße geführt. Ja, da lass ich mir doch nix nachsagen! Hernach sagt der Moratschek noch, ich nehm meine Aufgaben nicht ernst. Ach ja, und noch was, Bürgermeister. Der Moratschek möchte gern, dass ich vorm Vereinsheim Rot-Weiß ein paar Scheine kassier. Er sagt, die sind dort alle sturzbesoffen, wenn sie heimfahren.«

Jetzt schaut er schon ziemlich blöd, muss man sagen. Und wahrscheinlich ärgert er sich auch, weil er schon immer den Kanal ziemlich voll hat, wenn er zum Vereinsheim hinausfährt. Und so ein Abend mit Apfelschorle ist schon eine ziemliche Spaßbremse, gell.

Abends um halb zehn steh ich vorm Vereinsheim und mach einen Alkotest nach dem anderen. Die Beschimpfungen wälz ich gleich ab und sag, sie sollen sich beim Moratschek oder beim Bürgermeister beschweren. Ich erfülle hier nur meine Pflicht.

Ein paar Tage später brauchen wir weder einen Schülerlotsen noch ein paar Führerscheine, allerdings hat mir die Aktion einen Besuch beim Spechtl eingebracht. Auf dienstliche Anweisung vom Moratschek.

Zuerst einmal aber haben wir unser Klassentreffen. Das zwanzigjährige, großer Gott! Und da ist es schon eine Freude, wenn man den einen oder anderen so zehn oder gar zwanzig Jahre lang nicht mehr gesehen hat. Schließlich will man ja wissen, was aus denen so alles geworden ist.

Die Simmerl Gisela hat das Ganze organisiert, und wir treffen uns in einem Landgasthof ein paar Dörfer weiter. Der Flötzinger kommt auch, der Simmerl nicht, der war zwei Jahrgänge über uns.

Ich komm leider ziemlich spät, weil ich zuerst noch das Gras hab mähen müssen. Meine Strafe sozusagen – für die Suchverweigerung vom Papa seinen Zehen.

Wie ich reinkomm, ist die Stimmung schon gut, und so hechelt man sich zwischen Kalbslendchen und Käsesahne durch die letzten Jahre. Der Rainer muss passen, weil er eine Allergie hat gegen alle Produkte des einheimischen Rindviehs, von den derzeit grassierenden Pollen ganz zu schweigen. Er hat einen Ausschlag im Gesicht und eine kleine Wanderapotheke vor sich aufgebaut und nimmt stündlich irgendein Medikament. Weil ich aufgrund meiner Katzenallergie weiß, wie sehr er leidet, setz ich mich zu ihm und frag nach: »Sag einmal, Rainer, du bist so ziemlich gegen alles allergisch, gell?«

»Halb so wild, Franz«, sagt er. »Leberkäs und Bier vertrag ich gut. Da kann man schon leben damit!«

Na also.

Am Abend gibt's ein Büfett und hinterher Musik und Tanz. Wir stehen da so am Tresen und die Fanny schaut gut aus, mein lieber Schwan! Die war früher so der Typ Mauerblümchen. Und jetzt könnte man glauben, die ist grad aus der ›Praline‹ entsprungen. Der Flötzinger schaut ihr ständig in den Ausschnitt und auf einmal sagt er: »Du hast großartige Titten, Fanny! Möchtest du tanzen?« Sie mag nicht. Weil halt der Flötzinger wieder zuerst einen Knoten in den Luftballon gemacht hat. Er trinkt sich den Frust von der Seele und später sagt er: »Ich frag dich jetzt zum allerletzten Mal, Fanny. Möchtest du bitte, bitte mit mir Titten?«

Herrje!

Am Schluss singen wir alle die alten Lieder von Boney M. und Status Quo, und dann bring ich den Flötzinger heim und übergeb ihn seiner Mary.

»Darf ich um diese Titten bitten«, sagt er und fällt ihr in die Arme.

Zwei Tage später sitz ich also beim Dr. Dr. Spechtl und ein unglaublich dicker Ordner liegt vor ihm auf dem Schreibtisch.

»Alles von Ihnen, Eberhofer«, sagt er und klopft auf den Leitz.

»Aha.«

»Aber nicht, dass Sie jetzt glauben, es wären etwa die Fälle, die wo Sie bearbeitet haben. Es sind einzig und allein die Beschwerden über Sie. Sollte uns das zu denken geben, lieber Herr Eberhofer?«

»Ja, wer beschwert sich denn so alles?«

»Das spielt jetzt keine Rolle hier. Sie können hernach jederzeit gerne Einsicht nehmen. Aber meine Zeit ist begrenzt und drum sollten wir überlegen, was wir mit Ihnen anstellen. Wie fühlen Sie sich denn augenblicklich?«

»Augenblicklich fühl ich, dass ich einen Riesenhunger hab, weil der Termin bei Ihnen heute so derartig früh war, dass keine Zeit fürs Frühstück war. Und wissen Sie, mit leerem Magen …«

»Herrschaft, Eberhofer!«, fällt er mir ins Wort. »Mich interessiert Ihr Magen einen Scheißdreck! Ihre Psyche ist defekt, das ist unser Problem!«

Er lehnt sich in seinem Stuhl nach hinten und massiert sein Kinn.

Ihre Psyche ist defekt! Ja, spinnt der jetzt?

»Was mach ich nur mit Ihnen?«, sagt er, mehr so zu sich selber. Ich zuck mit den Schultern und schau auf die Uhr.

»Wie weit sind Sie denn jetzt eigentlich in Ihrem Vierfachmord?«, fragt er und ich durchschau ihn gleich. Ich zuck wieder mit den Schultern und sag: »Der Vierfachmord? Ja, das hat sich wohl zerschlagen, Herr Doktor.«

Er hebt eine Augenbraue und wird neugierig.

»Wie meinens' denn das jetzt?«

Jetzt hab ich ihn!

»Ja, wissens', wenn man die Fälle so einzeln betrachtet, also ohne Familienzusammenhang, mein ich, dann sind es halt Unfälle. Tragisch natürlich, aber eben Unfälle. Und so was passiert halt nicht in der Regel, gell. Aber, Ausnahmen bestätigen die Regel, sag ich immer.«

Er hat angebissen! Ich seh es an seinem Gesicht. Das entspannt sich dermaßen, dass jetzt gleich dreimal so viel Haut da ist wie vorher.

Er steht auf und kommt um den Schreibtisch herum. Legt die Hand auf meine Schulter und sagt: »Ja, das sehen Sie völlig richtig, Eberhofer! Ist wohl doch noch nicht Hopfen und Malz verloren bei Ihnen, nicht wahr?«

Er lacht. Siegessicher.

Dann bringt er mich zur Tür.

»Ja, unsere Zeit ist um. Grüßen Sie mir den Moratschek recht schön, wenn Sie ihn sehen, und sagen Sie ihm, er soll die Finger lassen vom Schnupftabak. Macht die Schleimhäute kaputt, das kann man sich gar nicht vorstellen. Hab ich ihm schon hundertmal gesagt, aber er will ja nicht hören.«

Ja, im Grunde ist er halt immer noch ein Hals-Nasen-Ohren-Pfuscher, auch wenn er in noch so vielen Seelen rumwurstelt.

Kapitel 15

Am Nachmittag treff ich mich mit dem Birkenberger Rudi. Weil: wenn ich schon mal in München bin, kann man das Nützliche ja gleich mit dem Angenehmen verbinden. Wir sitzen im Englischen Garten, weil das Wetter einfach passt, und schauen den kurzen Röcken hinterher, die pausenlos vorüberhuschen. Der Rudi ist fleißig gewesen in den letzten Tagen, vermutlich, weil er mich sonst am Arsch lecken kann.

So hat er zum Beispiel herausgefunden, dass die Immo-Novum nicht mehr existiert. Gewerbe abgemeldet und aus. Aber er hat auch herausgefunden, dass ein- und dieselbe Geschäftsführung etwa zeitgleich ein Büro auf Mallorca eröffnet hat. Woher er das weiß, sagt er nicht, vermutlich hat er's in einer Speisekarte gelesen.

Jedenfalls hat er mir eine Geschäftsbroschüre mitgebracht, eben von der ehemaligen Immo-Novum, hochglänzend und dreißig Seiten dick. Weil mir aber grad die Sonne so großartig auf den Buckel scheint, ist mir jetzt gar nicht nach Geschäftsbroschüren, und so leg ich sie weg und wir ratschen Privates.

Dann erfahr ich, dass dem Rudi ein schwerer Fehler unterlaufen ist, rein arbeitstechnisch sozusagen. Und zwar hat er sich in eine Klientin verliebt. Die hat nämlich ihren Ehemann beschatten lassen, weil sie geglaubt hat, er geht fremd. Saudummerweise ist dann nicht er fremdgegangen, sondern sie. Und zwar mit dem Rudi. Ein unverzeihlicher Fehler! Und jetzt bricht dem Rudi ständig der kalte Schweiß aus, weil er Angst hat, der Gehörnte könnte ihm irgendwo auflauern.

»Geh, Rudi, wie soll er denn da drauf kommen? Schließlich schnüffelt ja nicht ein jeder im Leben von seinen Mitmenschen umeinander, so wie du.«

»Vielleicht hast ja recht, Franz. Weißt du, manchmal glaub ich schon, ich krieg einen Verfolgungswahn, weil ich halt selber immer alle möglichen Leute verfolge.«

»Vielleicht solltest dir doch lieber einen anderen Job suchen?«

»Da musst du grad reden! Glaubst denn du wirklich, dass du den richtigen Job hast? Warst doch erst heute wieder beim Spechtl wegen deinen Wahnvorstellungen.«

Weil er mich jetzt aufregt, sag ich nix mehr

und schau stattdessen in die Sonne, die grad so schön hinterm Chinesischen Turm durchblinzelt.

Wie ich am Abend heimkomm, steht das Auto vom Leopold im Hof. Er selber sitzt in der Küche und verbindet dem Papa seinen kaputten Fuß. Ich schau der Oma in die Töpfe und deck den Tisch ein.

»Wo hast denn deine liebe Roxana heut?«, frag ich, weil mich die Neugier packt.

»Das weiß ich nicht, mein lieber Bruder«, sagt er, grinst und wechselt einen verschworenen Blick mit dem Papa.

Und dann erfahr ich, dass die Versöhnungsumarmung eine ganz ausgebuffte Tour war. Weil nämlich der Leopold wieder an sein Geld wollte, das die Roxana zuvor von seinem Konto geräumt hatte. Und wie sie jetzt winselnd an seiner Tür scharrte, war die Gelegenheit günstig. Da hat der Leopold gesagt: »Ja freilich, mein Schatz, nehm ich dich zurück. Mit offenen Armen sogar!«

Und wie die Rumänen-Roxy dann reumütig mit seinem Geld rausgerückt ist, hat er ihr die Bankvollmacht entzogen und sie vor die Tür gesetzt.

So ein Schlawiner ist das!

Der Papa hängt an seinen Lippen und der Leopold klammert den Verband zu.

»Gut so?«, fragt er den Papa.

Der nickt und wirft mir einen vorwurfsvollen Wo-sind-meine-Zehen-Blick zu.

Dann bringt die Oma das Essen. Der Leopold haut rein wie ein Irrer, was einerseits an den hervorragenden Rindsrouladen, andererseits wohl an der Geschichte mit seinem Bumerang-Geld liegt. Der Papa stochert lustlos im Teller rum, das macht er jetzt seit dem Unfall ständig. Sterbender Schwan, sag ich da nur. Wobei er noch kein Gramm abgenommen hat. Vermutlich haut er sich die Wampe voll, wenn wir alle fest schlafen.

Nach dem Essen dreh ich mit dem Ludwig meine Runde, wir haben eins-siebzehn gebraucht, und unterwegs treff ich den Flötzinger. Er trägt seinen grün-blauen Jogger und joggt. Weil er gemerkt hat, dass er bei den Weibern nicht mehr so gut ankommt. Und jetzt hat er beschlossen, etwas für seine optische Erscheinung zu tun.

So eine Phase hat er schon einmal gehabt. In ganz jungen Jahren. Da hat er sich einen Schnauzer wachsen lassen und angefangen zu laufen. Eine ganze Gruppe war das damals. Ein

Haufen junger Leute, allesamt mit rosa oder hellgelben Jogginganzügen und Stirnbändern verkleidet, durchhopsten unsere heimatlichen Wälder. Allen voraus der Flötzinger. Als Anführer quasi. Oberstirnbandführer sozusagen.

»Du, Franz«, sagt er vornübergebeugt und schnauft wie ein Walross. »Hast du es schon gehört?«

Ich hab keine Ahnung, was er meint, und lass ihn erst mal japsen. Nach einer Weile sag ich: »Ich hab keine Ahnung, was du meinst.«

»Ja, das mit dem Sonnleitnergut halt«, sagt er und hechelt.

»Was genau?«, will ich wissen.

»Ja, dass es halt jetzt verkauft wird.«

»Wieso verkauft? Und woher willst du das wissen? Hat sich der Ferrari bei dir gemeldet? Jetzt red schon!«

Was ich dann erfahr, haut mich fast um.

Und zwar ist die Frau Margit Dechampes-Sonnleitner nämlich vor ein paar Tagen aus Kanada angereist, um das Haus zu verkaufen. Wissen tut das der Flötzinger vom Simmerl, weil eben diese Frau in der Metzgerei eingekauft hat. Wenn das stimmt, was die Susi rausgefunden hat, muss es sich hier um die zuletzt bei uns eingetragene Besitzerin handeln. Und wenn das, so wie ich vermutet hab, die Mutter vom Ferrari ist, dann ist die krebskrank und liegt in den letzten Zügen. Und fliegt jetzt um die halbe Erdkugel, nur um das blöde Gut zu verkaufen. Geht praktisch auf Abschiedstournee. Ja.

Nein, was ich eigentlich sagen wollte: Ich muss mit der Frau reden! Allein schon, um an den Ferrari zu kommen. Heute ist es schon halb zehn, und so werd ich es lieber auf morgen verschieben. Schließlich will man ja nicht gleich einen schlechten Eindruck machen, bei der womöglich zukünftigen Schwiegermutter.

Leider muss ich dann noch den Flötzinger heimbringen, weil sich der eine Blase gelaufen hat, frag nicht, und keinen einzigen Schritt mehr alleine tun kann. Also stützt er sich bei mir auf, und nach einer Dreiviertelstunde kann ich ihn dann endlich der Mary übergeben.

»Mir scheint, der findet ohne deine Hilfe den Heimweg überhaupt nicht mehr«, sagt sie zu mir.

»Es ist nur wegen der Blase«, sag ich so.

»Einmal sind es Fußblasen, das andere mal volle Kanäle oder Titten. Ich glaube langsam, er hat eine Phobie gegen uns«, sagt sie ganz traurig.

»Vielleicht hat er eine Katzenallergie«, sag ich, weil mir nix Besseres einfällt.

Am nächsten Tag fahr ich mit der Oma zum Schlecker, weil der die Seniorenzahncreme im Angebot hat. Die kostet zwar trotzdem noch das Doppelte als andere, aber für ihre Beißer ist der Oma nix zu teuer. Sie kauft davon immer eine ganze Menge und noch eine weitere Menge von Sonderangeboten, von denen sie überzeugt ist, dass sie die eines Tages einmal dringend brauchen wird.

Irgendein Witzbold hat vor die Leuchtschrift der Firma Schlecker in perfekten Buchstaben ein A und ein R gesprüht. Die Oma sieht das natürlich sofort, weil ja die Augen noch gut sind, und schreit mich an: »Schau, Franz! Da hat jetzt jemand einen Arschlecker aus dem Schlecker gemacht!«

Ich muss grinsen und nicke.

Das Gleiche dann bei der Kassiererin.

»Sie, Fräulein! Da hat jetzt jemand einen Arschlecker aus Ihrem Geschäft gemacht!«

Die Kassiererin weiß natürlich nicht, dass die Oma nichts hört, und nuschelt, während sie Kaugummi kauend einscannt, ohne ihren Blick zu heben: »Ich weiß.«

Und jetzt natürlich noch mal die Oma, in

voller Lautstärke: »Haben Sie mich nicht gehört, Fräulein? Da draußen steht jetzt Arschlecker, ganz groß über der Tür!«

Jetzt schreit die Frau zurück, das kann man gar nicht glauben: »Ich hab Sie schon verstanden, Oma! Wir wissen das schon länger, was da draußen steht!«

Unfreundlich, muss ich schon sagen. Ich deute der Oma Bescheid und sag: »Ich würde das auch so lassen. Arschlecker, passt einwandfrei für dieses Geschäft hier!«

Auf dem Heimweg fahren wir am Ossi-Klaus vorbei. Er kommt grad aus einem Reisebüro und überquert direkt vor uns die Straße. Weil ich aber leider im dichten Verkehr bin, kann ich nicht anhalten. Ich starr ihm also hinterher, und auf einmal sagt die Oma: »Wieso starrst du jetzt den Bofrost-Fahrer so an?«

Daheim erfahr ich dann, mit Händen und Füßen und Zettel und Stift, dass sie steif und fest behauptet, dass der Typ, der gerade über die Straße ging, einmal ein Bofrost-Fahrer war. Da der Klaus aber ein Architekt ist, kann er unmöglich ein Bofrost-Fahrer sein und aus!

Weil die Oma freilich schon merkt, dass ich ihr das jetzt nicht recht glaube, wird sie wütend. Sie mag es nämlich gar nicht, wenn man sie nicht für voll nimmt. Sie tritt mir gegen's Schienbein und geht.

Kapitel 16

Ich fahr dann zuerst einmal zum Sonnleitnergut. Die Frau Dechampes-Sonnleitner ist zu Hause und öffnet ein bisschen verwundert, weil die Polizei vor der Tür steht. Sie ist eine sehr gepflegte Frau, allerdings nicht die geringste Ähnlichkeit mit einem Ferrari. Vielmehr ein Jaguar vielleicht.

Weil ich jetzt nicht gleich erzählen mag, dass ich ihr zukünftiger Schwiegersohn bin, frag ich sie erst mal nach dem Hausverkauf. Sie wundert sich gar nicht, warum ich das wissen möchte, ist wahrscheinlich der Typ Mensch, der einem Polizisten sowieso alles erzählt.

»Wir wollten das Haus ja schon lange verkaufen«, erzählt sie ein bisschen wehmütig. »Zuerst über ein Immobilienbüro. Wir dachten, wenn wir es ein bisschen renovieren, mit Heizung und so, dann erzielen wir einen guten Preis. Das war leider nicht so. Keine Interessenten. Na ja, wer kann sich auch heutzutage noch so ein Gut leisten. Das Immobilienbüro selber hätte es dann haben wollen. Aber der Preis war nicht akzeptabel. Geradezu lächerlich. Darum bin ich hier. Ich werde es nun mal auf eigene Faust versuchen.«

Aha.

»Aha«, sag ich.

Wo wir jetzt ja schon so ein vertrautes Verhältnis haben, frag ich sie nach ihrer Tochter. Sie stutzt ein wenig und sagt dann: »Da müssen Sie falsch informiert sein, Monsieur, mein Mann und ich sind leider kinderlos geblieben.«

Sie hat einen ganz reizenden Französischslang.

»Nichte, Großnichte, Cousine?«, frag ich so.

Sie schüttelt den Kopf. Überlegt eine Weile und schüttelt noch mal den Kopf.

»Wissen Sie, das ist auch der Grund, warum wir das Gut nun verkaufen wollen. Wir haben keine Nachkommen und werden unseren Lebensabend in Kanada verbringen, wo wir schon seit vielen Jahren leben. Es hat keinen Sinn, das alles hier zu erhalten. Für wen denn auch?«

Sie schaut etwas versonnen über das Anwesen.

»Mercedes Dechampes-Sonnleitner?«, will ich ihr auf die Sprünge helfen.

Nix. Kennt sie nicht, sagt sie.

Jetzt wird's aber hinten höher als vorn!

»Gnädige Frau, überlegen Sie bitte genau. Ich mein, so häufig kommt ja jetzt der Name auch nicht vor. Ganz abgesehen davon, dass diese Mercedes, die Sie angeblich nicht kennen, jetzt monatelang den Schlüssel gehabt hat und hier im Gut ein- und ausgegangen ist.«

Sie schüttelt den Kopf.

»Entschuldigen Sie bitte, Monsieur, aber ich werde wohl schon noch wissen, ob ich in der Verwandtschaft jemanden habe, der Mercedes heißt. Und ich sage es Ihnen noch einmal: Nein, keine Mercedes weit und breit! Und was den Schlüssel angeht, die Immo-Novum, also das Immobilienbüro, das ich vorhin erwähnt habe, hatte als Einziges einen Schlüssel für das Gut, in den letzten Monaten. Sonst niemand.«

»Sie hat sogar eine Heizung einbauen lassen, die Mercedes Dechampes-Sonnleitner«, muss ich jetzt mit aller Vehemenz noch mal einwerfen.

»Der Einbau der Heizung wurde von mir telefonisch in Auftrag gegeben und von der Immo-Novum überwacht. Die Dame dort, die das gemacht hat, heißt Kleindienst. Alexandra Kleindienst. Ich kann Ihnen gern die Telefonnummer geben. Und noch einmal: keine Mercedes weit und breit!«

Weil ich die Informationen jetzt erstens

nicht sehr erfreulich finde und zweitens erst mal verarbeiten muss, verabschiede ich mich.

Die Immo-Novum schon wieder! Ich fahr ins Büro, weil ich dort die Unterlagen liegen hab, die mir der Birkenberger übergeben hat und in die ich bisher noch keinen einzigen Blick geworfen habe. Außerdem zerplatzt gleich mein Hirn, weil der Ferrari, vorausgesetzt die Frau Sonnleitner sagt die Wahrheit, mit ihr weder verwandt ist noch verschwägert. Das ist unglaublich und bedarf einer Klärung.

Ein paar Zimmer weiter ist es ziemlich laut, und da fällt mir siedendheiß ein, dass die Susi heute Geburtstag hat. Ich muss da kurz hin zum Gratulieren, sonst ist gleich wieder der Teufel los. Wie ich in ihr Büro komm, ist die komplette Gemeindeverwaltung anwesend und hat sich dem Alkohol ergeben. Weil ich Angst hab, die Susi könnte wieder ausrasten, wink ich ihr nur kurz zu und rufe meine Glückwünsche durch den Türspalt. Kaum bin ich dann ein paar Schritte den Gang runter, fliegt die Tür auf und sie schreit mir nach: »War das alles?«

»Nein, ich wollte halt bloß nicht stören. Du hast da ja so viele Leute drin und …«

»Und was ist mit einem Geburtstagsbussi?«, unterbricht sie mich und streckt mir ihren Schmollmund entgegen. Sie kriegt ein Bussi und schon bin ich weg. Also, nachtragend ist sie nicht, das muss man schon einmal sagen.

Daheim sitzt die Oma am Küchentisch, schier unauffindbar hinter einem Stapel Prospekten. Dazu muss ich kurz erklären, dass die Oma sämtliche Angebotsprospekte sammelt und akribisch archiviert. Jahrelang. Dann kann sie nämlich immer vergleichen, was wann wie viel gekostet hat oder reduziert war. So hat sie praktisch einen perfekten Überblick über die Inflation der letzten vierzig Jahre. Und in diesem Sammelsurium kramt sie jetzt und ist unansprechbar. Ich mach mir ein Bier auf und setz mich dazu.

»Ah, Franz, gut, dass du da bist! Da schau her!«, sagt sie und zerrt aus dem Stapel einen kleinen Katalog der Firma Bofrost.

»Bofrost. Prima. Und was soll ich jetzt mit dem?« Ich zuck mit den Schultern.

»Letzte Seite, Franz! Du musst auf die letzte Seite schauen!«

Auf die letzte Seite also.

Und da steht: Mit höflicher Empfehlung von Ihrem freundlichen Bofrost-Fahrer. Ja, und?

»Ja, und?«, frag ich so und schau etwas ratlos. Sie reißt mir das Teil aus der Hand, knallt es auf den Tisch und legt den Zeigefinger drauf. Genau über ein Foto.

»Das Foto«, schreit sie. »Schau dir doch das Foto an!« Auf dem Foto ist ein Bofrost-Auto mit einem Dutzend wahnsinnig freundlich grinsender Bofrost-Fahrer. Auf den ersten Blick weiß ich immer noch nicht, was sie will. Dann aber find ich ihn. Den Klaus. Einer dieser Grinser ist der Ossi-Klaus. Ohne jeden Zweifel. Weiter unten ist ein Stempel, wo draufsteht: Klaus Mendel, und eine Telefonnummer. Ich werd verrückt!

Die Oma nicht, sie lehnt sich selbstgefällig zurück und schmeißt mir einen Blick übern Tisch, dass sie gut in einen Triumphbogen passen tät.

Der Prospekt ist drei Jahre alt, etwas vergilbt und jetzt beschlagnahmt.

»Wenn du was über den wissen willst, dann frag die Mooshammer Liesl, die hat bei dem eingekauft. Ich nicht, mir war der viel zu teuer«, hör ich die Oma noch auf dem Weg nach draußen.

Die Mooshammer Liesl kann sich noch ganz genau an den Ossi-Klaus erinnern.

»Ach, den hab ich gern mögen«, sagt sie. »Das war ein alter Ratscher, weißt, Franz. Das war immer nett, wenn er gekommen ist, grad so mit seinem Dialekt, gell.«

»Was hat er denn immer so geratscht, der Herr Mendel?«

»Ja, so über alles halt. Auch über unser Dorf. Das hat ihm schon gefallen, da bei uns. Unsere Lebensart und so. Weil er das halt gar nicht kennt. Es ist doch schon auch was ganz anderes als bei denen im Osten, gell? Er hat auch einmal überlegt, ob er sich hier was kaufen soll. So gut hat's ihm gefallen bei uns. Hat sich auch immer ein bisschen die Häuser angeschaut und die Grundstücke, und hat sich danach erkundigt.«

Aha.

»Aha«, sag ich. »Und warum ist er dann auf einmal nicht mehr gekommen, der freundliche Bofrost-Mann?«

»Mei, er hat ein anderes Gebiet gekriegt, glaub ich. Jedenfalls hab ich ihn dann nicht mehr gesehen. Zumindest nicht mehr mit dem Bofrost-Wagen. So ein- oder zweimal hab ich ihn dann noch privat hier getroffen. Aber wie gesagt, es hat ihm halt gut gefallen bei uns.«

Sie macht eine Pause und schreit auf einmal: »Kommst morgen auf einen Kaffee vorbei?«

Ja, warum schreit sie denn jetzt so, und warum soll ich morgen auf einen Kaffee vorbeikommen?

Dann merk ich aber, dass sie mich gar nicht meint, sondern die Mary, weil die gegenüber wohnt und drüben grad die Wäsche abnimmt.

»Morgen ist es schlecht, Liesl. Weil: da muss ich den Ignatz-Fynn zum Karate und anschließend zum Kieferorthopäden fahren. Übermorgen vielleicht!«

»Ja, übermorgen ist auch gut«, schreit die Liesl. »Und vergiss die Tupperparty am Freitag nicht!«

Und dann zu mir: »Du, sag dem Lenerl auch noch mal, sie soll die Tupperparty nicht vergessen, gell, Franz. Da gibt's nämlich ein großartiges Willkommensgeschenk. Da freut sie sich bestimmt!«

Ich nicke. Ja, für mich gibt's hier eh nix mehr zu tun, und so fahr ich lieber wieder.

Jetzt frag ich mich natürlich, wieso der Ossi-Klaus ein Bofrost-Fahrer ist, wo er doch in Wirklichkeit ein Architekt ist. Vielleicht war das ja noch während seiner Studentenzeit. Jetzt ist aber der Klaus auch nicht mehr der Jüngste, also kaum möglich, dass er noch studiert hat. Außer vielleicht, er hat ein jedes Semester gleich zweimal gemacht. So nach dem Motto: Doppelt hält besser. Was ich aber doch eher für unwahrscheinlich halte.

Und dann frag ich mich, wo der Ferrari ist und wie ich sie erreichen kann. Telefonisch jedenfalls nicht, das hab ich schon tausendmal probiert. Und außerdem frag ich mich natürlich, warum sie behauptet, die Mercedes Dechampes-Sonnleitner zu sein, wo's eine solche gar nicht gibt. Jedenfalls nicht in direkter Verwandtschaft mit dieser Frau aus Kanada. Vorausgesetzt, die lügt nicht, natürlich.

Fragen über Fragen.

Und weil es schon spät ist und ich das vermutlich heute nicht mehr klären kann, geh ich zum Wolfi auf ein Bier.

Wie ich danach heimkomm, sitzt der Papa noch hinterm Haus in der Wiese, in seinem alten Schaukelstuhl. Der Ludwig liegt vor seinen Füßen, und wie er mich sieht, springt er auf und wedelt mit seinem ganzen Hinterteil.

»Schön heut, gell, und schon so warm«, sag ich so.

»Setz dich ein bisschen dazu, Franz. Solche Nächte sind selten. Die darf man nicht verschlafen.«

»Darf man schon, wenn man am nächsten Tag wieder fit sein muss.«

»Geh, für was musst denn du fit sein?«, fragt er und zieht an seinem Joint, den ich jetzt erst seh. Gerochen hab ich ihn schon vorher, hab aber gehofft, es wären die Kerzen, die so riechen. Ich hol mir ein Glas aus der Küche und setz mich dazu. Eine Zeit lang reden wir gar nix, hören nur den Grillen zu, die uns ein Ständchen bringen.

»Wie geht's deinem Fuß?«, frag ich nach einer Weile. Er kriegt wieder diesen vorwurfsvollen Blick, dass es mir gleich ganz schlecht wird.

»Scheiß doch auf die Zehen, Franz! Ich hab mir ja zum Glück nicht die Eier abgesäbelt!« Dann lacht er und ich mit, allein schon aus Erleichterung.

Ich frag mich allerdings, wozu er seine Eier braucht, ich hab ihn noch nie mit einer Frau gesehen. Seit dem Tod von der Mama ist er allein und macht keinerlei Anstalten, daran was zu ändern.

»Ich frag mich eigentlich schon, für was du deine Eier brauchst«, sag ich so und ärger mich gleich, dass ich's getan hab. Er schaut eine Zeit lang in die Ferne, trinkt einen großen Schluck Wein und sagt dann: »Deine Mutter war eine erstklassige Frau, weißt. Schön und gescheit und lieb. So was kriegt man nur einmal im Leben. Und wenn man so was einmal gehabt hat, ja, dann will man halt nix anderes mehr. Nix, was schlechter ist, weißt, Franz.«

Er hat eine ganz andere Stimme wie sonst und es geht mir durch und durch. Und ich weiß genau, was er meint. Wer einmal einen Ferrari hatte, der will auch keinen Golf mehr fahren.

Am nächsten Tag bin ich dann erwartungsgemäß müde. Und wie ich so am Frühstückstisch sitz und versuch, meine Augen aufzuhalten, schlurft der Papa in Unterhosen durch die Küche. Holt sich aus dem Kühlschrank ein Mineralwasser, trinkt es im Stehen, hebt die Hand zum Gruße und verzieht sich wieder ins Bett. Provokant bis zum Dorthinaus, kann ich nur sagen.

Kapitel 17

Saudummerweise gibt es akkurat heute einen Auffahrunfall auf der Bundesstraße mit acht beteiligten Fahrzeugen. Passiert äußerst selten, aber eben immer, wenn's so gar nicht passt. Es gibt eine Menge Schreibkram, das kann man gar nicht glauben. Und wenn ich das alles allein machen muss, bin ich bis Weihnachten noch nicht durch. Bisher hat mir ja bei so umfangreichen Sachen immer die Susi geholfen. Weil, seien wir mal ehrlich, in unserer Gemeindeverwaltung jetzt auch nicht unbedingt die Hölle los ist. Nachdem ich ja bei ihrem Geburtstag wieder ganz gute Karten hatte, wage ich mich in ihr Büro vor.

»Servus, Susi. Du ich …« Weiter komm ich gar nicht. Sie schaut mich an wie der Teufel das Weihwasser und keift: »Was willst du hier?«

»Hab ich irgendwas verpasst?«, frag ich, weil ich einigermaßen überrascht bin.

»Ich hab's dir doch schon gesagt. Ich will dich nie mehr sehen, du alter Lustmolch!«

»Aber an deinem Geburtstag war doch alles wieder in Ordnung, Susi.«

»An meinem Geburtstag war ich betrunken und das zählt nicht! Es hat sich ausgesusit und jetzt raus hier!«

Ich geh dann mal lieber und muss schon sagen, irgendwie ist sie jetzt schon ziemlich nachtragend.

Die nächsten Tage sind purer Stress, weil ich alle Unfallbeteiligten einzeln vorladen und den ganzen Mist auch noch selber schreiben muss. Die Arbeit ist langweilig und anstrengend und es ist noch nicht mal ein einziger Toter dabei. Wenn nämlich wenigstens jemand stirbt, hat das Ganze schon wieder einen ganz anderen Charakter. Und außerdem muss man die Toten nicht mehr verhören, spart also enorm Arbeit.

Aber hier gibt's nur zwei Schleudertraumen und die jammern dir den Buckel voll und sonst nix. Völlig unspektakulär eben.

Was aber tatsächlich am schlimmsten ist, dass mich dieser popelige Blechschadenfall daran hindert, die wesentlichen Dinge zu ergründen. Meinen Vierfachmord zum Beispiel. Oder die Sache mit dem Ossi-Klaus. Und natürlich allem voran die Sache mit dem Ferrari!

Aber nein, das muss alles hinten anstehen, nur weil ein paar so blöde Wichser nicht rechtzeitig auf die Bremse treten. Zum Kotzen.

Irgendwann ruft dann aber der Birkenberger an und bringt einen Sonnenstrahl im mein düsteres Beamtenleben. Er sagt, er macht mit seiner neuen Liebe ein paar Tage Urlaub auf Mallorca. Und er meint, wenn er schon mal da ist, könnte er sich ja gleich mal das neue Immobilien-Büro anschauen. Also das praktisch, was die Geschäftsleitung der ehemaligen Immo-Novum dort neu gegründet hat. Nicht schlecht, der Gedanke, muss ich schon sagen.

Wir ratschen noch so ein bisschen über alte Zeiten, und ungefähr eine Viertelstunde später sagt mein Gegenüber (einer von den Blechschäden): »Könnten Sie bitte Ihre Privatgespräche nach Feierabend führen, damit wir hier endlich weiterkommen?«

Ich sag in den Hörer: »Du, Rudi, ich muss jetzt auflegen. Ich hab da grad einen mordswichtigen Autofahrer sitzen, der mit Karacho in sieben Pkws gedonnert ist, einfach weil er zu blöd ist zum Bremsen. Der will jetzt seine Aussage machen.«

»Sag ihm, er soll morgen wiederkommen, weil du jetzt Mittagspause hast«, hör ich den Rudi, schau auf die Uhr und er hat recht.

»Ja, das tut mir jetzt aber leid«, sag ich so und steh auf. »Wir müssen leider morgen weitermachen, weil: schauen Sie auf die Uhr, dann sehen Sie es ja selber. Es ist Mittagspause.«

Und dann weiter zum Rudi: »So, da bin ich wieder.«

Jetzt regt sich der Blechschaden auf, das kann man gar nicht erzählen. Schreit mir durchs Büro, dass er jetzt fünfunddreißig Kilometer gefahren ist und sich extra den Vormittag freigenommen hat. Läuft auf und ab wie ein Tiger im Käfig und wird ganz rot im Gesicht. Ein Choleriker sondergleichen.

Das hilft ihm aber alles nichts, weil: Mittagspause ist Mittagspause. Und am Nachmittag hab ich schon wieder eine neue Vorladung. Also, heut wird das nix mehr. Ich sag ihm das so, er will es aber nicht hören. Und beruhigen will er sich schon gar nicht. Vorsichtshalber leg ich mal meine Waffe auf den Tisch, aber das beeindruckt ihn nicht sehr. Im Gegenteil. Es ist eher so, als tät ihn das grad noch so richtig anheizen.

Es dauert nicht lang und durch die ganze Brüllerei wird die halbe Gemeindeverwaltung aufmerksam und erscheint in meinem Büro. Der Bürgermeister kommt und auch die Susi mitsamt zweier weiterer Damen, wo die Neugier treibt. Am Schluss kommt noch der Hausmeister, gefolgt vom Papa, der mir ein paar warme Leberkässemmeln bringt. Das macht er manchmal und ich freu mich dann auch. Heute eher nicht, weil's halt sowieso schon so zugeht.

Alle reden durcheinander und der Blechschaden schreit noch immer wie am Spieß. Also keine Chance zu telefonieren.

»Du, Rudi, ich glaub, wir hören jetzt lieber auf. Weil: du hörst es ja selber …«

Dann nehm ich meine Brotzeit und geh raus. Setz mich mit dem Papa vors Rathaus auf die Bank und mach endlich meine wohlverdiente Mittagspause.

Das Toben und Schreien aus meinem Büro kann man auf dem ganzen Marktplatz hören, und ein paar besorgte Gesichter fragen mich, was denn los ist da drinnen. Ich zuck nur die Schultern und ess meine Semmeln. Die sind zwar in der Zwischenzeit nicht mehr ganz warm, eher so lau, aber schmecken doch noch einwandfrei. Wobei man jetzt schon sagen muss, der Simmerl macht halt den besten Leberkäs im ganzen Landkreis. Ja, da kommen die Leute von überall her, so gut ist der. Sogar, wenn er bloß noch lauwarm ist.

Irgendwann kommt dann die Susi durch die Rathaustür gestürmt und schreit: »Schnell,

Franz, du musst kommen! Der Typ hat grad den Bürgermeister verdroschen!«

Sie ist ganz aufgeregt und packt mich an der Hand. Sie schleift mich den Gang entlang, hinter sich her und direkt in mein Büro. Der Blechschaden sitzt am Schreibtisch, weiß wie ein Winterkartoffelknödel, und schweigt. Direkt gegenüber unser Bürgermeister mit einem Riesenveilchen und blutender Nase.

Ich zücke die Waffe.

»Hände hoch und auf den Boden!«, schrei ich, und offensichtlich ziemlich überzeugend. In null Komma nix liegt das brutale Schwein nämlich auf dem Fischgrätparkett und ich leg ihm die Handschellen an. Der Bürgermeister stöhnt. Er schaut schlecht aus. Sehr schlecht sogar.

Das hat natürlich Folgen, mein lieber Schwan! Körperverletzung, vermutlich eine schwere, womöglich sogar eine lebensgefährliche. Tätlicher Angriff auf eine öffentliche Person. Hausfriedensbruch und was weiß ich noch alles. Da wird mir schon noch das eine oder andere einfallen.

Zuerst einmal aber fahr ich unseren lädierten Bürgermeister zum Doktor. Mal sehen, wie schwer die körperlichen Schäden sind, die wo er davonträgt. Ganz abgesehen von den seelischen natürlich. Und das alles wegen nix! Nur, weil einer nicht Auto fahren kann und dann hier noch einen auf ungerecht behandelt macht. Unglaublich!

Ausgerechnet beim Bürgerfest, ein paar Tage später, muss ich dann erfahren, dass es nichts wird mit meiner Anzeigenflut. Weil sich nämlich die Herren Bürgermeister und Blechschaden geeinigt haben. Weil nämlich der Blechschaden eine respektable Summe zur Sanierung unseres Freibades gespendet hat. Und da kann man jetzt wunderbar ein Drei-Meter-Sprungbrett kaufen dafür. Der Bürgermeister sagt: »Für das Geld hätte er mir gut und gerne das andere Auge auch noch blau hauen dürfen!«

Was zumindest die Symmetrie wiederhergestellt hätte.

Ich bin ziemlich enttäuscht, weil: so ein paar schwerwiegende Anzeigen hätten meine Personalakte natürlich großartig aufpoliert, aber gut. Dafür haben wir jetzt einen Sprungturm im Freibad. Den ich sozusagen organisiert hab. Ein Eberhofer-Gedenk-Turm praktisch.

Später am Abend spielt die Schülerband auf, und gar nicht so schlecht, wie sie zuerst ausschauen. Der pickelige Max vom Simmerl ist auch dabei, und fünf weitere Pickel musizieren sich die Seele aus dem Leib.

Die Oma steht ganz vorne, damit sie was sieht. Und weil sie es halt immer schon zur Jugend hintreibt. Alt ist sie selber, sagt sie, und Gott sei Dank ist sie auch taub, weil sie nämlich direkt vor einem Verstärker steht. Da steht sie also und klatscht in die Hände. Einfach eine Rosine in Extase.

»Burn, burn, motherfucker burn …«, kreischt die Landjugend, aber da die Oma weder Englisch noch hören kann, ist das nicht so schlimm.

Der Simmerl setzt sich her zu mir und schüttelt den Kopf.

»Wie dem Lenerl so was gefällt«, sagt er und nimmt einen Schluck Bier.

»Mei, Simmerl, die kann es doch nicht hören. Und so schlecht spielen die doch gar nicht«, sag ich.

»Schlecht? Ja, was heißt denn hier schlecht? Der Max spielt großartig! Der ist ein richtiger Künstler! Nein, ich mein nicht, wie er spielt. Ich mein, was er spielt. So schön hat er immer gespielt, wie er noch klein war. So nette bayerische Sachen. Und jetzt – hör dir das an! Ja, die Pubertät … ein Talentkiller ist das. Das muss man schon einmal in aller Deutlichkeit sagen.«

Der nächste Tag ist ein Sonntag und der Birkenberger Rudi ruft direkt beim Mittagessen an. Der Leopold wirft mir einen vorwurfsvollen Blick übern Teller, weil ich die Essensharmonie aufs Äußerste störe mit meiner Telefoniererei.

Was ich aber grad erfahr, ist hochinteressant und allemal den bösen Blick wert. Der Rudi erzählt nämlich, dass die Immobilienfirma auf Mallorca tatsächlich wieder Immo-Novum heißt und hauptsächlich auf deutsche Kunden spezialisiert ist, die Gewerbeimmobilien kaufen oder verkaufen. Was jetzt ja noch nicht so spektakulär ist. Interessant ist es dann erst beim zweiten Knödel und dem dritten Räusperer vom Leopold geworden.

Da hat nämlich der Rudi grad berichtet, dass die Inhaber der Firma Alexandra Kleindienst und Klaus Mendel heißen. Ich erstick fast am Knödel, und der Leopold nimmt mir den Hörer aus der Hand und legt auf. Der Papa schmeißt dem Lieblingssohn einen Das-hast-du-aber-toll-gemacht-Blick übern Tisch und ich ärgere mich, das kann man gar nicht glauben.

»Ja, spinnst denn du?«, schrei ich ihn an und steh auf, dass gleich der Stuhl umkippt. Ich such in meinem Geldbeutel wie verrückt nach der Nummer vom Rudi und kann sie – verdammt noch mal – nicht finden.

»Es ist äußerst unhöflich, was du da tust, weil sich die Oma eine solche Mühe mit dem Kochen gemacht hat«, sagt der heilige Leopold.

»Genau, das tut man einfach nicht«, sagt der Papa.

Ich find endlich die Nummer und geb der Oma ein Bussi auf die Backe, damit sie Bescheid weiß.

»Ihr kostet mich mindestens zehn Jahre meines Lebens«, sagt sie. Aber so was sagt sie öfters. Ich möchte gern wissen, wie alt sie werden würd ohne uns.

Dann geh ich in den Saustall rüber. Dort ruf ich den Rudi an und er sagt es tatsächlich noch einmal: »Ja, Alexandra Kleindienst und Klaus Mendel. Ich hab's hier schwarz auf weiß, weil ich dir sogar wieder eine Firmenbroschüre mitgebracht hab. Du, Franz, ich seh grad, da ist sogar ein Foto drin von den zweien. Direkt am Strand bei Sonnenuntergang. Ziemlich kitschig, wenn du mich fragst, aber immerhin ein Foto. Soll ich dir die Broschüre schicken?«

»Auf gar keinen Fall, Rudi. Ich bin in zwei Stunden in München. Geh nicht weg, ich komm direkt in deine Wohnung.«

Jetzt bin ich erstens ziemlich in Eile und zweitens fassungslos. Was hat jetzt der Ossi-Klaus mit der Immo-Novum zu tun? Es wird immer mysteriöser. Wenn jetzt auf dem Sonnenuntergangsfoto der Klaus mit der Oma drauf wär, mich würde es nicht wundern.

Es ist nicht die Oma, die drauf ist, es ist der Ferrari! Der Ferrari, alias Mercedes, alias Alexandra Kleindienst, die mit dem Klaus in die Kamera lacht. Sie stehen vor der glutroten spanischen Sonne, Arm in Arm und völlig entspannt, und lächeln versonnen dem potentiellen Kunden entgegen.

Mir wird es jetzt schlecht, das kann man kaum glauben, und der Rudi gibt mir einen Schnaps, oder zwei, oder drei. Dann wird mir die Zunge locker und ich erzähl dem Rudi die Geschichte von hinten bis vorn und abschließend meint er: »Einmal abgesehen davon, dass dich die Tussi eindeutig verarscht hat, stinkt die Sache zum Himmel, Franz. Irgendwas ist da faul. Ich würde da dranbleiben, vielleicht wirst du ja noch berühmt, wenn du den Fall knackst.«

Mir ist es immer noch schlecht, jetzt aber mehr vom Schnaps, und ich nehm den allernächsten Zug nach Hause. Mir langt es für heute und ich geh noch nicht mal mehr mit dem Ludwig die Runde. Soll er doch hinscheißen, wo er mag.

Am nächsten Tag in der Früh hinkt er natürlich wie ein holzbeiniger Pirat. Besser ist es, ich geh gleich mit ihm, weil: sonst hat er vermutlich bis zum Abend auch noch eine Augenklappe.

Unterwegs mach ich mir so meine Gedanken über die Immo-Novum, den Klaus und den Ferrari. Wenn man einmal alles von vorne betrachtet, war es zuerst ja der Neuhofer, der mich auf die Immo-Novum aufmerksam gemacht hat. Denn die hat sein Grundstück gekauft. Und dann offensichtlich mit einer Wahnsinnspreissteigerung an die OTM verhökert.

Und wenn der Ossi-Klaus und der Ferrari schon damals die Finger mit im Spiel hatten, dann haben die da einen Riesengewinn rausgehauen. Und uns nebenbei alle noch ganz schön verarscht.

Im Büro find ich dann die Broschüre, die mir der Birkenberger als Erstes gegeben hat, die eben vom Münchner Büro. Die hab ich damals ganz vergessen, wegen dem Mordslärm von der Susi ihrer Geburtstagsfeier. Drinnen tatsächlich ein ebensolches Foto, vor dem Münchner Fernsehturm. Da drauf aber der Ferrari damals noch allein.

Ich glaub es nicht!

Gehen wir noch einen kleinen Schritt weiter. Wenn, sagen wir, der Klaus, seinerzeit tätig als freundlicher Bofrost-Fahrer und, wie die Mooshammer Liesl gesagt hat, immer auf der Suche nach einem Grundstück, dann schließlich fündig geworden ist. Und zwar bei den Neuhofers. Erinnern wir uns: Tankstellentraumlage!

Ja, und dann haben alle verkaufen wollen, bloß der Neuhofervater nicht. Dann musste er den ja geradezu beseitigen. Weil: wie hat der Hans gesagt? Die Haustür stand ja Tag und Nacht offen. Also ein Leichtes, da reinzumarschieren und den Hebel von der Sicherung umlegen, grad wenn der Alte den neuen Ofen anschließt.

Andererseits, wie lange hätte der Klaus da im Keller warten müssen, bis es so weit ist. Aber gut, für so viel Kohle hockt man sich vielleicht schon einmal ein paar Tage in den Keller, um dann eben im passenden Moment – klick – den Schalter umzulegen.

Bei der Neuhofermutter war's dann schon viel einfacher. Die war ja jeden Tag um vier in der Früh auf ihrem Waldspaziergang, weil da noch keine Leute unterwegs sind. Spaziert also quasi mitten in der Nacht und vollgepumpt mit Drogen durch den Wald. Da ist es ein Klacks, die mit einem Strick am nächsten Baum zu fixieren. Für vierhundertfünfzigtausend Euro!

Ich steck also grad bis zum Hals in der Arbeit, da spaziert die Oma in mein Büro mit einem Grinsen im Gesicht und einem Teller Rhabarberkuchen auf dem Arm. Sie kramt ein Schreiben aus ihrer Tasche und legt es mir auf den Schreibtisch.

»Da, schau her, Franz!«, schreit sie und klopft auf das Blatt Papier. »Mein Bausparer ist fällig. Nächsten Monat. Da machst dir jetzt ein schönes Bad in deinen Saustall, gell. Damit du in der Früh nicht immer warten musst, bis der Papa seinen Haufen gesetzt hat.«

Dazu muss ich jetzt vielleicht kurz erklären, dass die Oma eigentlich ununterbrochen irgendwelche Bausparer ausbezahlt kriegt.

Ja, gut, ununterbrochen vielleicht nicht, aber schon so dann und wann. Weil Sparen halt für sie sowieso das oberste Gebot ist. Gewohnheitssparer. Und in Sachen Bausparen ist sie ein richtiger Fuchs. Bausparfuchs, wenn man so will.

»Da rufst dann gleich hernach den Flötzinger an, damit der mit seiner Arbeit anfangen kann. Und sag ihm auch, dass die Rechnung diesmal ich bezahl. Damit er sich auskennt!«

»Ja, wo willst denn jetzt mit dem Riesenkuchenteller hin?«, ruf ich noch hinterher, aber natürlich hört sie mich nicht.

Wie ich später aufs Klo geh, sitzt die Oma saugemütlich bei der Susi im Büro, bei Kaffee und Kuchen.

Ja, wie gesagt, der Teufel ist nicht grad los in unserer Gemeindeverwaltung.

Kapitel 18

Dann ruf ich gleich einmal den Flötzinger an, weil natürlich ein Bad im Saustall die absolute Krönung wär.

»Schönen guten Tag! Sie sind verbunden mit der Firma Gas, Wasser, Heizung Flötzinger. Mein Name ist Ignatz Flötzinger. Was kann ich für Sie tun?«, hör ich es aus dem Hörer trällern und bin ziemlich platt.

»Flötzinger?«, frag ich vorsichtig.

»Ach, du bist es«, sagt er und klingt eher enttäuscht. Wen hat er erwartet?

»Was ist denn das für ein Text, den ich da grad gehört hab?«

Dann erklärt er mir groß und breit, dass er vor kurzem auf einem Seminar für Selbstständige war, und da hat er halt den einen oder anderen brauchbaren Verbesserungsvorschlag erfahren.

Jesus Christus!

Ich frag ihn, wann er mit meinem Bad anfangen kann, und er sagt: »Lass mich einen Blick in meinen Timer werfen!«

»Sag deinem Timer, dass als Allererstes ich

drinsteh und fertig! Ach ja, und die Oma bezahlt die Rechnung. Sag das deinem Office!«

Wie der Flötzinger am nächsten Tag zum Ausmessen da ist, kommen wir irgendwie noch mal auf das Neuhoferhaus zu reden. Weil er halt damals keinen Auftrag gekriegt hat.

»Nein«, sagt er. »Kein Auftrag von den Neuhofers. Ich hab mich auch gewundert. Aber aufdrängen tu ich mich natürlich nicht. Vielleicht hat ja einer aus seiner Fußballmannschaft bessere Preise gemacht. Soviel ich weiß, ist da ein Installateur dabei.«

»Bessere Preise als du macht ein jeder«, sag ich so und denke, ich muss dringend mal ins Vereinsheim Rot-Weiß.

Bin also nach dem Abendessen mit dem Ludwig zum Fußballplatz gefahren und hab ein bisschen beim Training zugeschaut. Der Torwart ist immer noch scheiße, jeder Schuss ein Treffer praktisch. Irgendwann geht die Mannschaft dann zum Duschen und ich gönn mir derweil ein kühles Bier in der Gaststube. Und jetzt heißt es warten. Wie immer kommen die Spieler nach dem Reinemachen herein und haben einen Durst, das kann man gar nicht glauben.

Nach der dritten Runde steh ich auf und gesell mich zu ihnen an den Tisch. Sag, dass ich ein paar Fragen hätte wegen dem Neuhofer, weil da einiges nicht zusammenpasst.

Jetzt sitzt die Zunge locker, wegen Bier, und ein jeder weiß was zu erzählen. Und weil ja alle noch mit dem Auto heimfahren wollen, sind sie auch sehr kooperativ.

So schalt ich mein Diktiergerät ein und stell es mitten auf den Tisch. Weil nun aber alle durcheinanderreden und natürlich auf dem Gerät nicht sichtbar ist, wer was sagt, stelle ich eine Regel auf.

Und die lautet: Jeder, der was zu sagen hat, muss erst mal seinen vollen Namen aussprechen, bevor er loslegt. Und das geht dann beispielsweise so – der Steiner Bernd, weit über den Tisch gebeugt, Stimme direkt ins Mikro: »Ich bin der Steiner. Bernd Steiner. Ich bin der Installateur. Ich hab dem Neuhofer – Gott hab ihn selig – ein Angebot gemacht, da hätte der Flötzinger nie mithalten können. Weil der ja sowieso ein Blutsauger ist, ein ausgeschamter.«

Ja, so ist es brav.

Jetzt reden alle schön der Reihe nach in mein Diktiergerät, und ich erfahr so allerlei, was ich noch nicht wusste. Das Wichtigste aber erfahr ich, wo das Diktiergerät dann schon abgeschaltet ist.

Es ist schon spät und wir reden noch immer über die Unglücksfälle der Neuhofers – Gott hab sie selig. Weil an einem Stammtisch gleich nach Politik und Fußball das Lieblingsthema die Toten sind. Noch vor den Weibern.

Ja, und dann kommen wir halt auch auf den Tag, wo dem Neuhofervater die Sicherung durchgebrannt ist. Im wahrsten Sinne. Und die Spieler erzählen mir die Geschichte, wie sie ihnen der Hans eben erzählt hat. Als er noch geschnauft hat.

Und es war wohl wirklich so, dass der Hans neben seinem Vater kniete, wie den der Schlag getroffen hat. Die Mutter hat derweil eingekauft.

Und jetzt kommt's: Weil ich natürlich geglaubt hab, wenn die Mutter eingekauft hat, war sie im Laden, und die beiden Männer waren allein zu Hause.

Das war falsch!

Die Mutter war nämlich nicht im Laden, sondern der Laden war bei ihr! Und zwar in Form eines Bofrost-Fahrers. Und grad, wie die Mutter den Geldbeutel aus der Küche holt, macht es: zisch! – und der Neuhofervater sprüht Funken.

Wenn das kein Zufall ist!

Ein Bofrost-Fahrer war also anwesend bei dem allerersten Unglücksfall. Oder anders: Der Ossi-Klaus hat den alten Neuhofer eigenhändig ins Jenseits befördert. Und hat noch nicht mal tagelang im Keller warten müssen. Nein, hat die Tat direkt und regelrecht frei Haus begehen können.

Ja, der Abend hat sich rentiert, das muss man jetzt schon einmal sagen.

Dafür begleite ich die komplette Fußballmannschaft auch mit Blaulicht heim. Nicht dass vor lauter Bier noch ein blöder Unfall passiert.

Trotz meiner ermittlungstechnischen Erfolge plagen mich jetzt drei Riesenprobleme.

Erstens kann und will ich es nicht verstehen, dass der Ferrari da mit drinhängt. Diese feine Sahneschnitte, die mir innerhalb von zwei winzigen Stunden den wahren Sinn des Lebens gezeigt hat. Und nicht nur sexuell gesehen. Nein, ich hatte schon das Gefühl, wir verstehen uns auch so allgemein.

Und jetzt soll die gemeinsam mit dem Bofrost-Klaus in einer Mordgeschichte stecken? Das kann nicht sein. Da muss es noch eine andere Erklärung geben.

Weil ich aber noch weitere Probleme habe, kann ich mich darum jetzt erst einmal nicht kümmern.

Problem Nummer zwei ist, dass ich demnächst meinen Jahresurlaub hab. Was ja an und für sich nix Schlimmes ist. Im Gegenteil. Schlimm daran ist nur der Zeitpunkt. Weil ich halt jetzt mitten in einem Vierfachmord stecke, den es aufzuklären gilt.

Leider bin ich auf dienstliche Anordnung während meiner Urlaubszeit von meinem Büro zwangsevakuiert. Und das ist halt scheiße. Wie soll man denn bitte schön so eine Sache von daheim aus bearbeiten? Das ist unmöglich. Genauso unmöglich ist es auch, meine Ermittlungen für drei lange Wochen einzufrieren. Wer weiß, wen der Ossi-Klaus bis dahin noch so alles ausrottet.

Das dritte meiner Probleme ist die Susi. Weil sie halt mit mir nicht mehr redet. Und ich ums Verrecken gern wissen tät, was sie mit dem Ferrari an dem Abend beim Wolfi so alles besprochen hat.

Und wenn man also drei so gravierende Probleme hat, muss man irgendwo mit der Lösung anfangen. Ich fang mit der Susi an, weil: die sitzt zwei Türen neben mir, und das erscheint mir im Moment am naheliegendsten.

»Hallo, liebe Susi!«, sag ich so beim Reingehen.

»Was willst du, Arschloch?«, fragt sie mich und grinst dabei. Wenn sie grinst, ist das schon mal ein guter Anfang.

»Du, Susi. Versteh mich jetzt nicht falsch, aber ich ermittle in einer wahnsinnig wichtigen Angelegenheit und da brauch ich deine Hilfe.«

»Weiß der Bürgermeister von deinen Ermittlungen?«, will sie jetzt wissen, und ich mach besser mal die Tür zum Korridor zu.

»Ja, wissen … was heißt denn da wissen …«

»Weiß er es oder nicht?«

»Du, Susi, jetzt pass einmal auf. Es geht da um einen Vierfachmord. Davon verstehst du natürlich so rein überhaupt nichts. Darum behindere jetzt hier nicht meine Arbeit, verstanden!«

Sie schaut das erste Mal von ihrem Bildschirm hoch und direkt in mein Gesicht. Sagen tut sie nix, aber ihr Blick gefällt mir nicht. Und dann muss ich sie auch noch nach dem Ferrari fragen! Das wird die Situation nicht gerade entspannen. Um die Klippe zu umschiffen, leg ich jetzt ferrari-technisch einen scharfen Ton an.

»Dieses Weib von neulich, die behauptet hat, wir wären ein Paar, die ist dringend tatverdächtig. Und dazu brauch ich halt deine Hilfe. Ich muss wissen, was du beim Wolfi mit ihr alles geredet hast. Jedes einzelne Wort. Also leg los!«

Irgendwie haben mich meine eigenen Worte jetzt so dermaßen motiviert, dass ich mich ganz locker auf ihren Schreibtisch setz. Völlig leger und mit nur einer Arschbacke.

»Dieses Weib von neulich hat gesagt, dass sie dich so süß findet und dass du ein Superbumser bist. Das hat sie ganz am Schluss gesagt, da war sie dann schon ziemlich voll. Und es heißt ja immer, dass der Alkohol die Sicht auf die Realität verzerrt. Da wird dann schon mal aus einem Durchschnittsbumser ein Superheld. So, wenn's das dann war, ich hab hier noch zu arbeiten!«, sagt sie irgendwie unfreundlich und widmet sich wieder ihrem Bildschirm.

Ich sitz jetzt da wie ein Hans Dampf und mach, dass ich rauskomm.

Anschließend geh ich beim Simmerl vorbei, weil der ja auch beteiligt war an diesem besagten Abend. Nachdem ich ihm fünf Rindersteaks zu einem Wahnsinnspreis abgekauft hab, wird er gesprächig. Er erzählt, dass der Ferrari nur gekommen war, um den Schlüssel für das Gut zu hinterlegen. Sie würde jetzt eine ganze Weile in Kanada sein, und derweil wird sich eine Hausverwaltung um das Anwesen kümmern. Das hat sie so erwähnt, sagt der Simmerl. Mehr weiß er eigentlich nicht, danach hat er dann mehr mit dem Wolfi geratscht. Weil sich nämlich der Ferrari und die Susi offensichtlich ganz wunderbar verstanden haben und sehr viel zu erzählen hatten.

Na bravo.

Wie ich heimkomm, freut sich die Oma wie verrückt über die Steaks und beschließt, am Abend zu grillen. Der Papa freut sich nicht so, weil er dann den Grill anschmeißen muss. Und das mit seinem kaputten Fuß.

Später sitzen wir zusammen, und die Oma hat einen hammermäßigen Kartoffelsalat gemacht. Mit dottergelben Sommerkartoffeln und einer Salatgurke. Ein bisschen Dill, Essig und Öl, Pfeffer und Salz, und fertig. Ich könnt ja jetzt sagen, da lass ich schon einmal ein Steak liegen, für den Kartoffelsalat von der Oma. Aber das wär dann gelogen. Weil, das Fleisch: butterweich, innen noch leicht blutig – perfekt.

Alles wär jetzt ganz einwandfrei gewesen,

wenn der Papa nicht beschlossen hätte, seinem Fuß freien Lauf zu lassen. Und nicht nur das. Nicht nur, dass er ihn aus dem Verband geschält hat, er hat ihn auch noch hoch gelagert. Praktisch mittig platziert. So sind wir dann gesessen wie folgt: die Oma, ich, dem Papa sein Fuß auf dem Stuhl direkt neben mir und dann der Papa. Und wenn du so einen geschwollenen Fuß mit nur noch drei Zehen genau vor Augen hast, schmeckt ein Rindersteak halt nur noch mäßig, auch wenn es noch so teuer war.

Der wahre Sieger dieses Abends ist dann der Ludwig, weil der die Knochen kriegt. Alle fünf. Bei unserer anschließenden Runde sind wir auf einen anderen Hund samt Besitzer gestoßen. Und anstatt wie sonst verspielt drauf loszurennen, ist der Hundling nur mit hoch erhobenem Kopf daran vorbei und hat gesagt: »Aus dem Weg, du Frolic-Fresser!«

Das hat er natürlich nicht gesagt, aber es hat so gewirkt.

Kapitel 19

Hinterher, ich komm grad zur Tür rein, da ruft der Birkenberger an. Er schreit mir ins Telefon, dass er sie umbringt, die blöde Matz. Und ich brauch eine Zeit lang, bis ich die Zusammenhänge kapier.

Jedenfalls ist es jetzt wohl so, dass sich sein Liebchen wieder ihrem Gatten zugewandt hat. Und das genau zu dem Zeitpunkt, wo der Rudi eine Mordsüberraschung für sie hatte. Und zwar hat er in einem Romantikhotel auf Mallorca ein Doppelzimmer bestellt mit allem Pipapo. Weil's ihr halt da so gut gefällt. Hat ihn ein Vermögen gekostet, sagt er, und alles völlig für'n Arsch.

Wir telefonieren ziemlich lang und er beruhigt sich so allmählich. Und nach zweieinhalb Stunden, wo's mir langsam langt, sag ich: »Du Rudi, jetzt lass den Kopf nicht hängen. Ab Montag hab ich Urlaub und da machen wir dann einen drauf, gell.« Das war ein Fehler.

»Ab Montag hast du Urlaub, sagst du?«, fragt er, und schon sein Tonfall lässt mich Böses ahnen.

»Ja, ab Montag. Aber Arbeit hab ich trotzdem genug, ich kann höchstens mal für einen Abend oder so …«

»Großartig!«, unterbricht er mich und hat plötzlich seine alte Stimme wieder gefunden.

»Das ist wirklich großartig, Franz! Weil nämlich wir zwei Hübschen am Sonntagnachmittag in den Flieger steigen und nach Mallorca fliegen! Und da werden wir dann den Mord aufklären. Deinen Vierfachmord, verstehst du? Das ist doch wunderbar!«

Wunderbar? Das ist entsetzlich!

Ich weiß gar nicht, was ich sagen soll. Auf der einen Seite will ich ihm jetzt seine Illusionen nicht nehmen, weil er sonst gleich wieder seinen Herzschmerz auspackt. Andererseits liegt mir nichts ferner, als mit dem Birkenberger Rudi in einem Romantikhotel abzusteigen und dort einen Mord aufzuklären.

Abgesehen davon, dass Mallorca in Spanien liegt.

Ich war erst einmal im Urlaub so weit weg. Das war in der Türkei. Und es war grauenvoll. Dort möchte man nicht tot überm Zaun hängen! Das Essen, die Touristen, die Türken, die Hitze, die Klimaanlagen. Ich könnte das hier seitenweise fortführen, will aber nicht langweilen.

Jedenfalls flieg ich auf gar keinen Fall mit dem Birkenberger irgendwohin.

Und schon gar nicht nach Spanien. Aus.

Am Sonntagnachmittag sitzen wir in der Maschine, die uns nach Mallorca bringt, und mir ist zum Kotzen. Leichtsinnigerweise hab ich dem Birkenberger seinen Plan dem Papa und der Oma erzählt. Und die waren begeistert.

Der Papa ja mehr, weil er sagt, der Bub muss mal raus und was sehen von der Welt. Die Oma natürlich, weil die Reise geschenkt ist. Sie hätt mich auch auf die Golanhöhen geschickt für umsonst.

Also sitz ich jetzt Seite an Seite mit dem Rudi und einem flugkranken Schwitzer in der Boeing. Der Rudi hat die Kamera dabei und filmt ohne Unterbrechung jeden und alles. Der Schwitzer hyperventiliert.

Und ich wünsch mir eine Zeitmaschine, die mich zwei Wochen in die Zukunft beamt.

Unser Zimmer ist romantisch und kuschelig und mit ungefähr einer Million Rosenblättern ausgestreut. Das Badewasser ist schon eingelassen und der Champagner steht kalt. Der Kofferträger wirft uns einen verständnisvollen Blick zu und hält die Hand auf. Ich schlag die

Tür zu und möchte den Rudi gern abknallen, bin aber grad unbewaffnet.

»Großartig hier, oder?«, schreit er mir aus dem Hinterhalt zu. Und bis ich schau, sitzt er schon in der Badewanne, klatscht aufs Wasser und sagt: »Komm doch rein, Schatz!«

Bevor ich ihn ertränke, geh ich auf den Balkon, um frische Luft zu schnappen und die Anlage zu beäugen. Doch was ich seh, erfreut mich wenig. Was nicht an dem erstklassigen Pool liegt oder dem goldenen Sandstrand. Auch nicht an dem einwandfreien Meerblick und schon gar nicht an der spitzenmäßigen Strandbar.

Vielmehr liegt es an den Menschen dort, die paarweise gebündelt sich die ganze Zeit begrabschen, umarmen und knutschen. Romantik pur, quasi. Viereinhalb-Sterne-Hotel. Der halbe Stern Abzug geht auf die Schwulen, jede Wette.

Da steh ich also und schau. Weil ich aber weder auf diesen Anblick noch auf den nackten Birkenberger in der Wanne scharf bin, geh ich runter an die Hotelbar und schwör mir, dem Barhocker für vierzehn lange Tage die Treue zu halten.

Ich erspar mir jetzt hier, die Einzelheiten der folgenden Tage zu erwähnen. Die Peinlichkeit, ständig von irgendwelchen Schwulen und Lesben unter den Paaren zu irgendwelchen Partys, oder weiß der Geier was, aufgefordert zu werden. Auch aufgefordert zu werden, doch mal ein bisschen lockerer zu sein und zu seinem Partner zu stehen. Eben die Gefühle zeigen. Und zwar der ganzen Welt! Ja, das erspar ich mir jetzt lieber.

Aber es gibt auch Ereignisse, die allemal die Reise wert sind. Zum Beispiel treff ich den Ferrari. Zufällig. Na gut, vielleicht nicht direkt zufällig, der Birkenberger hat mir halt gezeigt, wo das Büro ist. Das von der Immo-Novum eben. Und davor bin ich dann rumgelungert eine Weile.

Und es hat gar nicht so arg lang gedauert, da marschiert sie tatsächlich an mir vorbei. Hat mich zuerst gar nicht erkannt. Hat wohl auch nicht damit gerechnet, dass ausgerechnet ich jetzt hier auf Mallorca rumhäng. Ich schau ihr in die Augen und wünsch mir den Rudi zum Mond und den Ferrari in mein Rosenbett.

»Was machst denn du hier, Franz? Mit dir hätte ich niemals gerechnet«, sagt sie, und die Betonung ist schwerlastig auf dem »du«. Sie ist aber nur kurz überrascht und schmiegt sich dann an mich, dass ich nur so schau.

»Dasselbe könnt ich dich auch fragen, Mercedes. Du heißt doch Mercedes?«, frag ich so und ärger mich gleich über meinen misstrauischen Tonfall.

»Ja, vielleicht können wir irgendwo einen Kaffee trinken«, sag ich dann, weil ich ihre Antwort im Grunde gar nicht hören will. Und so gehen wir ein paar Straßen weiter in ein kleines Café und schauen uns an.

Ich könnte sie hier und sofort flachlegen und vor allen Leuten vernaschen, so gut schaut sie aus.

Braune Haut und rote Wangen – wunderbar!

Und ihr liebes Lächeln!

Und wie sie meine Hand nimmt!

Und wie sie an meinem Finger lutscht!

Und sich eine Haarsträhne aus der Stirn streicht!

Wie sie ihren Kaffee trinkt!

Und ihre Hand auf meinen Oberschenkel platziert!

»Schön hier, oder?«, fragt sie und schwenkt ihren Kopf lasziv.

»Einwandfrei.«

»Gefällt's dir wirklich?«

»Logisch!«

Pause. Augenpetting.

»Deine Haare sind schon ganz schön blond«, sagt sie und streift mir übern Kopf. Ganz langsam.

»Die Sonne.«

»Bist du schon lang hier?«

»Ein paar Tage. Und du?«

»Bist du alleine?«

Sie hat meine Frage ignoriert. Aber sie lutscht wieder an meinem Finger.

»Mutterseelenallein«, sag ich, weil ich den Birkenberger jetzt lieber verdränge.

»Wonderbar!«, sagt sie lutschenderweise.

Das alles endet bei Sonnenuntergang am Strand, genau wie in den Filmen, wo ich nicht mag.

Leicht entrückt von dieser Erde komm ich gegen Mitternacht ins Hotel zurück und krieg einen Anschiss vom Rudi, das kann man gar nicht glauben. Weil ich nicht zum Essen da war und weil er sich Sorgen gemacht hat und so weiter und so fort. Genau wie bei einem Ehepaar.

Ich knall ihm eine, damit er wieder funktioniert, und im Handumdrehen haben wir die schönste Rauferei. Weil ich aber schlapp bin wegen Sex und der Rudi einen Sonnenbrand hat, dauert's nicht lange und wir geben auf.

»Ihr habt es ja vielleicht toll getrieben letzte Nacht! Ich konnte euch durchs Fenster sehn«, ist das Erste, was ich beim Frühstück hör. Die Tunte kriegt einen Verpiss-dich-Blick und verpisst sich.

Das Nächste, was mein Ohr erreicht, ist genauso unerfreulich und versaut mir mein Essen.

»Hast du sie jetzt gefragt, was sie hier macht? Oder wie ihr richtiger Name ist? Oder was sie mit dem Mendel zu schaffen hat?«, will der Birkenberger wissen und filmt zum fünften Mal diese Woche das Frühstücksbüfett.

»Willst du mir den Tag vermiesen?«, frag ich zurück.

»Nein, im Ernst, Franz. Lass dich doch durch ihre Titten nicht so dermaßen verblenden! Du hast doch gesagt, dass da was nicht stimmt.«

Er legt die Kamera weg und schlürft an seinem Kaffee.

»Spar dir deine Kommentare, Klugscheißer! Ich bin im Urlaub hier und noch nicht mal freiwillig. Schon vergessen?«

»Aber so eine Gelegenheit, den Fall aufzuklären, kriegst du nie wieder!«

»Es gibt keinen Fall, Birkenberger! Alles Unfälle. Tragisch zwar, aber eben Unfälle. Und wenn nicht, kann ich es auch nicht ändern!«

»Mensch, Eberhofer. Jetzt reiß dich doch zusammen! Schalt doch mal dein Hirn ein! Mit der Tussi ist doch was faul, das stinkt doch zum Himmel! Herrgott, hat sie dir denn dein Gehirn weggeblasen?«

Er ist jetzt ziemlich laut und das Wort »blasen« kommt gut an bei den Schwulen. Wir ernten liebe Blicke.

Ich hab jetzt genug und brech hier ab. Und alles, was mir noch einfällt, ist: »Angenommen, es gibt tatsächlich so was wie einen Vierfachmord. Und angenommen, der Ferrari steckt da mit drin, dann werd ich das lösen! Und du bist mit Sicherheit der Letzte, den ich dafür brauch! Ist das jetzt klar?«

Ziemlich theatralisch schmeiß ich meine Serviette auf den Tisch und geh.

Eine ganze Weile wandere ich am Strand entlang und bin verhältnismäßig sauer. Mach mir Gedanken über Gedanken und hoff, dass es bald zwei Uhr wird, weil ich mich da mit dem Ferrari treff. Ich schau im Minutenrhythmus auf die Uhr, und es sind noch Stunden, bis es so weit ist.

Dann ruf ich erst mal daheim an, weil: wennst' so ein Gefühlswirrwarr hast, ist die einzige Rettung eine vertraute Stimme.

Natürlich geht der Papa ran, weil's bei der Oma ja nix bringen tät. Er sagt, es ist alles wunderbar in Ordnung, der Oma geht's gut. Ihm eher nicht so, weil ihm halt die Zehen fehlen. Er sagt, der Flötzinger ist mit dem Bad so weit fertig, dass jetzt der Fliesenleger anfangen kann. Im Übrigen hat die Oma in einem Sonderpostenmarkt für Bauelemente spottbillig einen Riesenberg Fliesen gekriegt, da könnte man glatt den ganzen Hof auslegen. Und da hat sie sich natürlich gefreut.

Ja, und der Leopold ist jetzt auch im Urlaub, und zwar in Thailand. Last minute, auch spottbillig.

Ja, ein einziges Schlaraffenland bei uns daheim, und ich bestell Grüße und leg auf. Der Minutenzeiger zeigt drei Minuten später.

Großartig.

Bis ich den Ferrari treff, dauert's noch ewig. So leg ich mich erst mal an den Strand und schau aufs Meer.

Der Leopold in Thailand! Das ist jetzt wieder typisch. Holt sich wahrscheinlich jetzt eine Thailänderin, nachdem er von Rumäninnen die Schnauze voll hat. Lässt sich vermutlich wieder ein paar Jahre lang verarschen und dann ist sie weg. Wobei man es ja keiner Frau verdenken kann, muss man schon sagen. Also, den Leopold zu verlassen ist im Grunde das einzig Richtige, was diese Weiber in ihrem ganzen Leben tun.

Ja, und irgendwie kommen meine Gedanken dann wieder auf den Ferrari. Oder besser, auf die Worte vom Birkenberger über den Ferrari. Und weil ich natürlich niemals so dastehen will wie der Leopold, muss ich zumindest die winzige Möglichkeit in Betracht ziehen, dass der Rudi recht hat. Dass er recht hat und sie womöglich doch ein falsches Spiel spielt. Egal wie sie ausschaut oder ob sie an meinen Fingern lutscht.

Also mach ich mich weit vor der vereinbarten Uhrzeit auf den Weg zum Büro von der Immo-Novum.

Die Geschäftsräume liegen im ersten Stock eines eindrucksvollen alten Gebäudes. Im Erdgeschoss ein Bekleidungsgeschäft. Ein großer Torbogen führt in den Innenhof. Dort ist dann auch der Eingang zu den oberen Etagen. Eine andere Tür steht offen und führt wohl ins Lager des Geschäftes. Zumindest wimmelt es dort von großen Kartons, Kleidern auf Bügeln, mit Folie umhüllt, und Schaufensterpuppen.

Auf dem Firmenschild der Immo-Novum steht außer der Öffnungszeit nur eine Telefonnummer. Daneben ist ein Plastikbehälter mit Prospekten zum Entnehmen. Und das sind dieselben, wo mir der Rudi freundlicherweise schon ein Exemplar besorgt hat.

Wie ich da so steh und überleg, hör ich Schritte die Treppe runterkommen, und durch die Glastür kann ich glasklar die tollen Beine vom Ferrari erkennen. Sie ist nicht allein, ein zweites Paar Füße begleitet sie auf Schritt und Tritt. In meiner Panik, erwischt zu werden, dreh ich mich ab und verschwind geschwind im Lager der Bekleidungsfirma. Wie die beiden passiert sind, schieb ich meinen Blick durch den Türspalt. Und direkt vor meinen Augen huschen der Ferrari und der Ossi-Klaus über die Straße. Er legt den Arm um sie.

Ja, geht's noch?

Ein paar Meter weiter steigen sie gemeinsam in einen Wagen. Und weg sind sie.

Verdammt.

Erst einmal geh ich zurück zum Hotel. Was soll ich auch hier noch? Der Rudi sitzt am

Strand und filmt das Meer, wohl zum hundertsten Mal.

»Na, du Arsch, hast du dich wieder beruhigt?«, fragt er, und ich setz mich zu ihm. Weil ich jetzt nicht anders kann, erzähl ich ihm von meiner Beobachtung und weiß schon vorher, was er sagt. Nämlich: Hab ich's dir nicht gesagt!

»Hab ich's dir nicht gesagt? Die hat da ihre zarten Fingerchen mit drin, da kannst du drauf wetten. Wenn sie nicht sogar selber alle vier …«

Er macht eine Handbewegung, die ihm die Gurgel durchschneidet.

»Die Mercedes ist keine Mörderin! Die ist höchstens die Geschäftspartnerin von einem Mörder!«, werf ich jetzt ein.

»Gut! Machen wir halt eine Wette, Franz. Wenn du sie heute triffst und sie kann dir eine gute Erklärung geben, werde ich für immer schweigen. Wenn nicht, dann wirst du jetzt endlich ermitteln! Verstanden?«

»Worauf willst du eine Erklärung?«

»Ja, zum Beispiel auf ihren falschen Namen. Oder warum sie nie erwähnt hat, dass sie ein Immobilienbüro hat. Das rein zufällig das Neuhoferhaus gekauft hat. Oder warum es die Firma in München nicht mehr gibt, dafür aber eine auf Mallorca. Da gibt's eine ganze Menge Fragen. Und jetzt reiß dich mal zusammen und mach hier nicht den gekränkten Liebhaber!«

Ja, der Rudi kennt mich halt wie kein Zweiter.

»Der Leopold ist nach Thailand geflogen«, sag ich, um das Thema zu wechseln.

»Nach Thailand? Aber doch wohl nicht mit Frau?«, will der Rudi wissen.

»Ohne Frau!«

»Das ist vernünftig. Das wär ja sonst grad so, wie wenn man aufs Oktoberfest fährt und sein eigenes Bier mitbringt«, sagt der Rudi und muss grinsen.

»Abgesehen davon, ist ihm die Frau eh abhandengekommen.«

»Aha«, sagt der Rudi und greift nach seiner Kamera.

Kapitel 20

Ich bin pünktlich am Treffpunkt und stell meine Fragen. Sie sieht umwerfend aus und hat heute auch die Mütze dabei. Die freut sich ganz narrisch, wie sie mich sieht, vermutlich weil ich nach dem Ludwig riech. Jedenfalls liegt sie hernach in meiner Bauchmulde und an Sex ist nicht zu denken. Aber alles der Reihe nach.

Zuerst einmal wandern wir Hand in Hand durch die Gassen, und irgendwo bleiben wir auf einen Kaffee sitzen. Nachdem der Ober serviert hat, bin ich knapp davor, meine allererste Frage zu stellen, aber sie kommt mir zuvor.

»Ich bin so froh, dass du hier bist, Franz«, sagt sie ganz ernst und ihre Augen glitzern.

All meine Fragen sind wie weggeblasen. Und wären es wohl auch geblieben, wenn ich nicht hinter ihrer zarten Schulter auf einmal den Birkenberger erblickt hätte. Der steht da nämlich am Bürgersteig auf der anderen Straßenseite und filmt uns ganz ungeniert. Also, wenn der keinen Vogel hat, dann weiß ich's nimmer! Ich dränge zum Aufbruch, was sie gar nicht versteht, aber ich sag einfach, dass ich zum Meer runter will.

Kaum haben wir dort gemütlich Stellung bezogen und schauen entspannt auf die Wellen, die ans Ufer klatschen: der Birkenberger! In einem Tretboot! Es ist unglaublich. Hockt da im Boot und filmt den Strand.

»Das ist bestimmt einer, der diese Fotos für die Urlaubskataloge macht. Schau mal, Franz, der filmt uns. Vielleicht sind wir ja demnächst in so einem Prospekt zu sehen«, sagt sie und lächelt dem Rudi entgegen.

»Vielleicht«, sag ich. »Oder es ist einer von diesen Spannern. Die sich dann daheim …«

»Nein, bestimmt nicht!«, unterbricht sie mich. »Der schaut doch ganz nett aus.«

Ich steh auf und geh ein paar Schritte Richtung Ufer.

»Jetzt schleich dich, du Perverser!«, schrei ich aufs Meer hinaus. Der Rudi fängt an zu treten, und weg ist er.

»Schau, ein Perverser«, sag ich und sie schaut.

Leider ist die Situation jetzt trotzdem keinen Deut leidenschaftlicher, weil, wie gesagt, die Mütze ihre Siesta ausgerechnet in meiner Bauchmulde hält.

Weil die Stimmung jetzt eh schon hinüber ist, stell ich eine ganze Menge Fragen, alle gleichzeitig, ziemlich ruppig und ungefähr so: »Warum bist du auf Mallorca und nicht in Kanada? Und wer ist Alexandra Kleindienst? Und Mercedes Dechampes-Sonnleitner? Warum erzählst du, das Sonnleitnergut gehört dir, obwohl du nur die Maklerin bist? Und wie viel Geld hast du mit dem Neuhoferhaus verdient? Warum hast du bei diesem dubiosen Unfall das Geknatter vom Neuhofer seinem alten Roller nicht gehört, wo man den doch schon kilometerweit hören konnte? Und warum ist der Klaus ein Bofrost-Fahrer, wo er doch angeblich ein Architekt ist?«

Ja, nicht besonders geschickt vielleicht, aber zumindest hab ich sie restlos überrascht. Sie schaut mich an, mit großen Augen und sagt: »Ist das jetzt ein Verhör, oder was? Bist du etwa dienstlich hier?«

Sie springt auf, reißt mir die Mütze vom Bauch und stapft davon. Weil ich nicht weiß, wie ich ihr jetzt hinterherrufen soll (Mercedes! oder Alexandra! oder Ferrari!), lass ich es bleiben. Und im Grunde will ich ja sowieso und nach wie vor keine Antwort auf all diese dämlichen Fragen.

Im Hotelzimmer frag ich den Rudi erst mal, ob er spinnt.

»Was hast du herausgefunden?«, will er wissen.

»Nix!«, sag ich und hau mich aufs Bett, dass die Rosenblätter nur so fliegen.

»Aber ich, Eberhofer!«

Er geht zum Fenster und legt diese Schweigeminute ein, die er mir gibt, um wahnsinnig zu werden.

»Ja, was denn, in Herrgottsnamen?«, schrei ich ihn an, und er ist zufrieden. Dreht sich um und schenkt mir ein selbstgefälliges Lächeln.

Dann erfahr ich, dass er nach der Bootstour ganz in der Nähe einen Kaffee getrunken und uns keine Sekunde aus den Augen gelassen hat. Und wie mich der Ferrari dann hat sitzen lassen, ist sie direkt an ihm vorbeigelaufen. Ist an ihm vorbeigelaufen und hat telefoniert. Und zwar hat sie gesagt: »Das wird jetzt ziemlich heiß hier!«

Pause.

»Ja, natürlich weiß ich, dass er ein Psychopath ist und dass ihn sowieso niemand ernst nimmt. Aber wir sollten jetzt keine schlafenden Hunde wecken! Er ist noch eine ganze Woche hier. Ich nehm den nächsten Flug nach

Deutschland, dann bin ich erst mal aus dem Schussfeld.« Pause.

»Na, gut. Wie du meinst. Bis später.«

Also, zugegebenermaßen hab ich das im ersten Moment dem Birkenberger nicht geglaubt. Nachdem er mir aber die Szene auf seiner Kamera vorgespielt hat, war es dann doch ziemlich überzeugend. Noch dazu, wo der Rudi hinter dem Ferrari hergerannt ist, um ja jedes Wort zu verstehen. Und sie sich plötzlich umgedreht und gebrüllt hat: »Jetzt verpiss dich endlich, du perverses Schwein!«

Ja, so sitzen wir jetzt auf unserer romantischen Bettkante und sind beide ziemlich sprachlos.

Wir lassen das Abendessen ausfallen und gehen direkt an die Strandbar. Den Frust zu ersäufen scheint heute die einzig logische Möglichkeit.

Irgendwann in den frühen Morgenstunden fangen wir dann das Streiten an, mein lieber Schwan! Weil er mir nämlich in seinem Rausch vorwirft, ich bin verblendet und könnte einen astreinen Fall nicht erkennen. Und aus mir würde nie ein brauchbarer Bulle werden. Nach so einem Scheißtag wie heute sind das genau die Worte, die ich brauch. Nachdem ich ihn anschrei, er würde sowieso nur dämlichen Fremdgehern hinterherschnüffeln, sind wir beide beleidigt und gehen ins Bett.

Am nächsten Tag zeigt mir ein Blick auf den Wecker, dass ich das Frühstück verpasst hab. Außerdem zeigt mir ein unbeschreiblicher Kopfschmerz, dass ich gestern das Abendessen verpasst und die Grenze des Alkoholanteils im Blut deutlich überschritten hab. Nach der Dusche find ich auf dem Balkontisch ein erstklassiges Frühstück, eine Packung Aspirin und einen Zettel vom Rudi:

Guten Morgen, mein Schatz!
Ich rate dir dringend, nach dem Essen mal den Ossi-Klaus aufzusuchen. Es wird Zeit dafür. Versuch aber nicht, im Büro mit ihm zu reden – zu gefährlich! Nimm vielleicht am besten das Lager von der Bekleidungsfirma. Und jetzt mach mal!
In Liebe, Rudi.

Arsch. Nach dem Frühstück und den Aspirin geht's mir wieder tipptopp und nach ein paar Runden im Pool bin ich wie neu. Der Rudi ist weit und breit nicht zu finden. Und weil mir die Worte vom Ferrari hartnäckig im Ohr hängen, mach ich mich auf zur Immo-Novum.

Nachdem ich eine Zeit lang ziemlich unschlüssig davor herumhänge, fass ich mir schließlich ein Herz und ruf die Telefonnummer an, die auf dem Firmenschild steht. Und tatsächlich meldet sich der Bofrost-Architekt: »Klaus Mendel, Immo-Novum Immobilien. Was kann ich für Sie tun?«

Der muss das gleiche Seminar besucht haben wie der Flötzinger.

»Was du für mich tun kannst, erzähl ich dir gleich. Beweg mal deinen Arsch hier runter. Ich steh direkt vor der Bürotür!«

Unglaublicherweise erkennt er mich sofort, obwohl ich keine Namen nenne. Es dauert auch nicht lang und er hopst die Treppen runter. Kommt mir ganz in seiner lockeren Art mit ausgestrecktem Arm entgegen, schüttelt mir die Hand und sagt: »Franz, das ist aber schön! Die Mercedes hat mir schon erzählt, dass du hier bist. Ich hab das Büro zugesperrt, lass uns doch irgendwo einen feinen Kaffee trinken!«

Das hätt mir grade noch gefehlt, mit dem hochverdächtigen Ossi-Klaus jetzt irgendwo in Spanien einen feinen Kaffee zu trinken!

»Schickes T-Shirt. Jägermeister. Sehr originell«, trällert er weiter und zupft nervigerweise an meinem Shirt.

Eine Horde Kinder läuft an uns vorbei in den Innenhof, und sie spielen Spiele, die an Lautstärke nicht zu überbieten sind. Ich pack den Klaus am Ellbogen und wir betreten das Lager. Gleichzeitig fummele ich in meiner Jackentasche nach dem Diktiergerät und schalt es ein.

Heimlich natürlich. Weil es ja aus sicherheitstechnischen Gründen verboten ist, Pistolen mit an Bord eines Flugzeugs zu nehmen, steh ich hier jetzt völlig unbewaffnet und finde es scheiße. Besonders, als er die Tür zumacht.

Danach ist es relativ ruhig, die Kinder sind kaum noch zu hören, nur das gleichmäßige Geräusch von einem Ventilator. Der Klaus schaut nicht mehr so gut aus wie gerade noch, und ich frag mich, ob das von seinem schlechten Gewissen oder vom Neonlicht herrührt.

»Was genau willst du von mir?«, fragt er mich, und auch seine übertriebene Freundlichkeit ist plötzlich wie weggeblasen.

»Um es kurz zu machen, ich glaub, du hast in Niederkaltenkirchen vier Leute abgemurkst und nebenbei noch vierhundertfünfzigtausend Euro kassiert.«

»Ach, hör doch auf!«, sagt er. Das heißt, eigentlich sagt er: uff. Also: Hör doch uff. Das ist sein Ossi-Dialekt. Da es mir aber direkt körperliche Schmerzen bereitet, das so zu erzählen, bleib ich bei meiner gewohnten Sprache. Also Hochdeutsch.

Er schaut mich an und schweigt.

Hat die Arme vor der Brust verschränkt und macht keinen Mucks. Ja, irgendwer muss halt was sagen, drum mach's ich.

»Jetzt würd ich nur zu gerne wissen, wie du das alles gemacht hast. Und wie du überhaupt darauf gekommen bist. Vielleicht bist du ja so gütig und gewährst mir einen Einblick in dein krankes Hirn.«

»Wer von uns beiden ein krankes Hirn hat, sei dahingestellt.«

Er räuspert sich und massiert sich sein Kinn.

»Aber wie du willst«, sagt er weiter. »Ich werde es dir erzählen. Damit du ein Erfolgserlebnis hast. Verwenden kannst du es sowieso nicht. Weil du nämlich allein hier bist. Und weil du ohnehin überall als Spinner bekannt bist. Also: Wer würde dir das hier schon glauben?«

Jetzt, muss ich sagen, wird die Situation unheimlich locker. Weil einfach gesagt worden ist, was gesagt werden musste. So setzen wir uns völlig entspannt auf ein paar Kartons, und der Klaus plaudert aus seinem blutigen Nähkästchen, dass ich nur so schau.

»Ich fang am Anfang an, damit ich deine Intelligenz nicht überstrapaziere«, sagt er und fischt eine Packung Tabletten aus seiner Hosentasche. Er wirft sich ein paar Pillen ein und fängt dann an, die leere Plastikverpackung zwischen seinen Händen zu drehen.

Es knistert.

»Angefangen hat alles mit dem alten Neuhofer. Weil der einfach nicht verkaufen wollte. Das heißt, zuerst hatte er tatsächlich kurz mit dem Gedanken gespielt. Ihn dann aber ziemlich schnell wieder verworfen.«

»Aber das Geschäft war einfach zu verlockend …«

»Es war sehr verlockend, na klar. Dazu kam, dass uns die OTM im Nacken saß. Zu der Zeit, als der Neuhofer noch am überlegen war, hat die Mercedes das Grundstück schon mal vorab dem Geschäftsführer der OTM gezeigt. Das war ein Fehler. Von dem Moment an wollten die diesen Standort unbedingt. Um jeden Preis.«

»Da hat er dann halt wegmüssen, der alte Neuhofer, gell?«

»Es war nicht geplant, wenn du das meinst. Zumindest in diesem ersten Fall nicht.«

Er steht auf und lehnt sich an die Wand. Dreht die leere Tablettenhülle zwischen den Fingern und lässt mich warten.

»Jetzt mach's nicht so spannend. Ich will vor dem Sonnenuntergang noch zum Strand runter.«

»An diesem besagten Tag war ich zufällig bei den Neuhofers als Bofrost-Fahrer.«

»Was du nicht sagst.«

Er schaut mich an und wirkt irgendwie genervt.

»Es macht keinen Spaß, wenn du mich ständig unterbrichst.«

»So weit kommt's noch, dass dir das auch noch einen Spaß macht!«

»Na, jedenfalls hat die Frau Neuhofer an diesem Tag wie immer den Katalog durchgesehen und dann ihre Bestellung gemacht. In derselben Zeit hat ihr Mann den neuen Elektroherd angeschlossen und hat dabei ein paarmal tüchtig geflucht. Wegen den alten Leitungen und so. Die Frau Neuhofer hat gejammert, dass alles so schrecklich ist mit diesem alten Haus, weil hinten und vorne alles kaputt ist. Und dass sie noch mal verrückt wird an dieser dämlichen Straße.«

»Und da hast du sie pfeilgrad erlöst von ihrem furchtbaren Elend.«

»Willst du es jetzt wissen oder nicht?«

»Nur zu!«

»Irgendwie ist dann alles ganz schnell gegangen. Die Frau Neuhofer ging ihr Portemonnaie holen und er hat wieder angefangen zu fluchen. Und ich stand in der Diele direkt vor dem offenen Sicherungskasten.«

»Und da ist dir die Sicherung durchgebrannt.«

»Wenn du so willst. Ich hab einfach den Schalter umgelegt und – zack – war die Sicherung drin und – zisch – war sie wieder draußen.«

»Und der Neuhofer tot.«

»Und der Neuhofer tot. Du kannst dir gar nicht vorstellen, wie …«

»Erspar mir die Einzelheiten. Und wie ist es dann weitergegangen?«

»Na ja, da hat keiner großartig nachgefragt. Arbeitsunfall eben. Der Sohn und die Frau haben es auf seine schlechten Nerven geschoben. Er war eben nervös und unkonzentriert und hat dabei wohl vergessen, die Sicherung rauszunehmen.«

»Und dann hattest du plötzlich Blut geleckt und die Neuhoferin war dein nächstes Opfer.«

»Das war überhaupt das Beste«, lacht er ein bisschen verbittert und zwirbelt die Verpackung. »Jetzt, wo der Alte tot war, hat sie sich's plötzlich anders überlegt! Jetzt wollte *sie* auf keinen Fall mehr verkaufen. Der Papa hätte das nicht wollen … Der Papa hätte das nicht wollen …, hat sie immer wieder gesagt. Dann kamen ihre Depressionen dazu. Sie war ja gar nicht mehr richtig bei sich, wenn ich mit dem Bofrost-Wagen zu ihr gekommen bin. Hat immer nur die Tür einen Spalt aufgemacht und hat gesagt, sie braucht nichts mehr. Überhaupt nichts. Ich hab dann gesagt, sie soll sich da nicht so einsperren, sie soll mal an die frische Luft gehen und so. Und sie hat gesagt, sie ginge nachts an die frische Luft.«

»Das war dann dein Stichwort.«

»So isses. Es war ein Klacks. Im Grunde glaube ich, sie war sogar froh, dass sie nicht mehr zurückmusste in das fürchterliche Haus. Irgendwie hat sie mich ganz dankbar angeschaut.«

»Du bist doch pervers!«

»Nein, im Ernst!«

Die Tablettenhülle zerreißt genau in der Mitte. Er wirft sie weg.

»Dann hätten wir da noch den Bruder. Den älteren von den Neuhoferbuben.«

»Wieder das Gleiche. Die Mutter war kaum tot, da hat der Trottel nicht mehr verkaufen wollen. Sein Gewissen, den Eltern gegenüber, hat er gesagt. Zum Kotzen!«

»Dann kam der Containerunfall. Das dürfte nicht ganz so einfach gewesen sein, hab ich recht?«

»Man kriegt da mit der Zeit so ein gewisses Gefühl für die Methoden, du wirst lachen. Die Sache mit dem Container war eine Rechenaufgabe, sonst nichts. Gewicht, Entfernung, Beschaffenheit des Karabiners und so weiter. Als ich wusste, wo der Container aufschlagen würde, musste ich nur noch das Opfer darunter platzieren. Und so hab ich einfach mit ihm gewettet. Ich hab gesagt, er sei zu feige, sich unter den Container zu stellen, er würde sich das nie trauen.«

»Er hat sich aber schon getraut. Ehrensache.«

Der Klaus nickt und setzt sich wieder auf einen Karton. Er beugt sich weit zu mir nach vorne und atmet mich an.

Die Kinder im Hof kreischen.

Ich bin unbewaffnet.

Ich lehn mich zurück, das wirkt selbstbewusster.

Mein Blick schweift durch das Lager. Ist

hier irgendwo ein Messer? Ein Dolch? Eine Handgranate?

Nichts.

»Kommen wir zum Rollerunfall«, sag ich, und meine Stimme taumelt. Schließlich sitzt man ja auch nicht jeden Tag mit einem Vierfachmörder Auge in Auge und völlig wehrlos in einem spanischen Bekleidungslager.

»Der Rollerunfall. Ja, das war delikat.«

Er lacht. Laut und hämisch.

»Ein Dorfpolizist in Ekstase!«

Meint der mich?

»Ich hab dich ja zuerst gesehen. Schon wie du mit deinem blöden Köter den Weg zum Sonnleitnergut entlanggekommen bist.«

Meint der den Ludwig?

»Ich hab zu ihr gesagt, sie soll sich darum kümmern.«

Meint der den Ferrari?

»Jetzt werde mal deutlich, mein Freund«, sag ich und erwäge ernsthaft, ihn mit einem Kleiderbügel zu bedrohen.

»Wir waren gerade dabei, unsere Zelte abzubrechen, als du gekommen bist. Das war ein denkbar schlechter Zeitpunkt. Was hätten wir tun sollen? Also hat dich die Mercedes um den Finger gewickelt. Sie hat ihre Sache gut gemacht, ich hab's gesehen.«

Er lacht.

»Du warst dabei, als wir …«

»Nebenan.«

Der Kleiderbügel bekommt plötzlich einen ganz neuen Stellenwert. Er ist aus Metall. Mit einem gekonnten Schlag …

»Oh, der kleine Franz … hinweggeschmolzen … Mon Chéri …«

»Also, der Rollerunfall«, drängele ich weiter.

»Wir haben das Gespräch mitbekommen, das du mit dem Neuhofer Hans gehabt hast. Er hat gesagt, er käme am nächsten Tag zu dir ins Büro, um dir einiges zu erzählen. Das war uns natürlich viel zu gefährlich. Und da wir ja wussten, dass er nachts immer da vorbeifährt, haben wir eine Drahtrolle quer über die Straße gespannt und danach die Hundeleine um den Vorderreifen gewickelt. Tja und den Rest kennst du ja.«

Pause.

»Und was hast du jetzt vor?«, will er dann wissen und grinst.

»Eins noch: Du bist doch eigentlich ein Architekt. Wieso also Bofrost-Fahrer?«

»Ich war ein ziemlich unmotivierter Student damals. Und hatte keinen Knopf Geld. Irgendwann hab ich das Studium unterbrochen und mich als Fahrer durchgeschlagen. Dann hab ich die Mercedes kennengelernt. Und das hat dann perfekt funktioniert. Sie hat die Interessenten organisiert, ich die Immobilien. Hat immer erstklassig funktioniert, kann ich dir sagen. Und so wird es auch bleiben.«

»Das wird sich erst noch rausstellen«, sag ich und steh auf. »Es gibt von euch kein Büro mehr in Deutschland. Habt ihr jetzt vor, die Spanier auszurotten?«

»Das wird sich noch rausstellen«, grinst er mir her. »Sind wir fertig?«

»Für heute schon.«

Wie wir uns verabschieden, geben wir uns die Hand.

»Ich krieg dich!«, sag ich.

Er lacht.

»Vergiss es!«

Und jeder geht seiner Wege.

Leider muss ich dann feststellen, dass die Qualität auf meinem Diktiergerät unglaublich minderwertig ist. Das Einzige, was man wirklich einwandfrei hören kann, ist der Ventilator, weil ich saudummerweise genau daneben gesessen bin: Plopp, plopp, plopp …

Ein wenig von meiner eigenen Stimme ist zu erkennen, aber kaum was vom Klaus. Was freilich bei der heutigen Technik kein Problem sein dürfte. Da kann man ja praktisch die verzerrtesten Fetzen wieder glockenklar erkennbar machen.

Kapitel 21

Ziemlich siegessicher geh ich ins Hotel zurück, und beim Abendessen erzähl ich dem Rudi alles der Reihe nach.

»Der Ferrari war als Maklerin bekannt und der Klaus als Bofrost-Fahrer. Keinerlei Verbindung. Dass es um ganz ausgekochte Mörder ging, hat niemand gemerkt. Das ist ja unglaublich«, sagt der Rudi und braucht einen Schnaps.

»Absolut unglaublich«, sag ich. Ja.

Nein, was ich eigentlich sagen wollte: Das also war der Vierfachmord von der Familie Neuhofer. Tragisch zwar, aber nicht mehr zu ändern. Was man dagegen schon ändern kann, ist, dass der Ossi-Klaus weiterhin sein Unwesen treibt. Und das ist jetzt meine Aufgabe.

Zuerst einmal aber werd ich die verbleibenden Tage noch genießen und mir die Sonne auf den Arsch scheinen lassen. Weil: Urlaub ist Urlaub. Und so schlecht ist Spanien jetzt auch wieder nicht.

Wie wir heimkommen, hat die Oma gekocht, das kann man gar nicht glauben. Mit einer Tomatensuppe als Vorspeis und einem Apfelkuchen als Nachspeis. Dazwischen ein Kalbsragout mit Spätzle und Preiselbeeren. Da scheiß ich auf eine jede Paella!

Der Leopold hat eine Karte geschrieben aus Thailand. Er hat seinen Aufenthalt dort verlängert, weil er eine ganz erstklassige Thailänderin kennengelernt hat. Der Papa liest die Karte ungefähr zehnmal und genauso oft schmeißt er mir vor, dass ich eben keine geschrieben hab.

Drüben im Saustall betret ich zum allerersten Mal mein nagelneues Bad. Ja gut, nagelneu ist vielleicht nicht wirklich alles. Die Fliesen sind ziemlich alt, Siebzigerjahre, in erbsengrün und senfgelb, Schachbrettmuster und gewöhnungsbedürftig. Genauso gefliest ist jetzt der Bereich, wo irgendwann mal eine Küche stehen soll und der gesamte Eingang. Weil: wenn man so einen Riesenposten Fliesen so dermaßen billig kriegt, müssen sie halt auch verarbeitet werden.

Später, bei meiner Runde mit dem Ludwig, geh ich beim Flötzinger vorbei, um mich zu bedanken. Er ist nämlich die letzten zwei Wochen mit dem Ludwig gegangen. Weil der Papa fußtechnisch nicht konnte und die Oma sowieso nicht. Der Flötzinger freut sich, wie er mich sieht, und schaut gut aus, mein lieber Schwan! Hat abgenommen, und der blau-grüne Jogger ist jetzt wohl Geschichte. Zumindest macht er mir in Jeans und T-Shirt die Tür auf. Wir verabreden uns für abends auf ein Bier beim Wolfi. Da freu ich mich drauf, weil es aus Bayern kommt und bezahlbar ist. Auf Mallorca kann man ein billiges spanisches Bier haben, oder ein bayerisches, zum Preis von einem Vier-Gänge-Menü.

Hinterher ruft der Birkenberger an und sagt, dass er meine Badehose versehentlich eingepackt hat. Nicht dass ich sie suche. Dann redet er mir noch ins Gewissen, dass ich unbedingt gleich morgen früh mit meinen Ermittlungsergebnissen zum Moratschek fahren soll.

Ja, natürlich fahr ich morgen zum Moratschek. Schließlich will ich meinen Triumph in vollen Zügen auskosten.

»Ja, der Eberhofer!«, schreit mir der Richter schon entgegen, wie er mich im Gerichtsgang erblickt. »Ja, gut schauen Sie aus! Waren

Sie etwa im Urlaub? Ja, so braun und so entspannt! Hervorragend, Eberhofer!«

Er geht vor mir her in sein Büro und weist mir an, Platz zu nehmen. Er legt seine Aktentasche ab und setzt sich dazu.

»Was haben Sie denn Schönes für mich?«, fragt er und nimmt eine Prise Schnupftabak. Ich wundere mich jetzt schon ein bisschen, wie der am Montag in der Früh so dermaßen fröhlich sein kann, aber gut.

»Herr Richter Moratschek«, fang ich an. »Also, ich hab da ein Diktiergerät, wo jemand einen Vierfachmord gesteht. Leider ist es akustisch nicht ganz perfekt. Aber wenn unsere Techniker sich das vielleicht einmal anschauen könnten …«

»Ihr Vierfachmord schon wieder! Eberhofer, Eberhofer! Sie haben nur ein Glück, dass ich grad so gut drauf bin, weil meine Frau heut nämlich für vier Wochen auf Kur fährt. Jetzt zeigens' einmal her!«

Ich reich ihm das Gerät übern Tisch und er schaltet ein. Plopp, plopp, plopp …

»Also, ich kann da nix hören. Tut mir leid. Ein Genuschel vielleicht, noch nicht einmal ein Flüstern. Und mit diesem Geploppe im Vordergrund werden auch die Techniker nix Brauchbares finden.«

Im Grunde hat er schon recht. Weil: das Genuschel, von dem er spricht, ist meine eigene Stimme. Die vom Ossi-Klaus: so gut wie nicht vorhanden.

»Schauens' Eberhofer, jetzt hätt ich Ihnen einmal ein Podium gegeben für Ihren merkwürdigen Verdacht, und dann kommen Sie mir mit so was! Was soll ich dazu sagen? Fahrens' zum Spechtl! Vielleicht kann der Ihnen helfen. Ich hab in einer halben Stunde meine erste Verhandlung und möcht mich jetzt noch gern vorbereiten.«

Wie ich rausgeh, halt ich das blöde Diktiergerät in der Hand und würd es am liebsten an die nächste Wand schmeißen.

»Franz!«

Es ist eine wohlbekannte Stimme, die ich jetzt hör.

»Was hat er denn gesagt, der Moratschek?«

Der Birkenberger Rudi steht da, und ich glaub, ich seh nicht richtig.

»Der Moratschek hat gesagt, dass er jetzt die Schnauze voll hat vom Eberhofer seinen Spinnereien!«, sagt der Richter statt meiner. Er kommt grad durch seine Bürotür und macht sich auf den Weg zum Kaffeeautomaten.

»Was machst du denn da?«, frag ich den Rudi.

»Glaubt er dir die Geschichte wieder nicht, der Moratschek?«

»Nein, der Moratschek glaubt überhaupt nix von diesem Scheißdreck! Habt ihr zwei Spinner eigentlich nichts Besseres zu tun, als rechtschaffene Beamte von der Arbeit abzuhalten?«, sagt der Moratschek auf dem Rückweg mit einem Kaffee in der Hand.

»Geben Sie mir fünf Minuten, Moratschek. Dann werden Sie eine andere Meinung haben!«, sagt der Rudi.

»Fünf Minuten. Die Uhr läuft!«

Dann geht alles ganz schnell. Der Rudi packt seine Kamera aus und präsentiert dem Richter und mir seine Exklusivaufnahmen aus dem Bekleidungslager auf Mallorca. Der Klaus Mendel ist gut zu sehen und einwandfrei zu hören, und ich mach auch keine schlechte Figur. Der Rudi steht zwischen den Schaufensterpuppen völlig unentdeckt und macht am Schluss einen Schwenk auf sein eigenes Gesicht. Er sagt seinen Namen, Datum und Uhrzeit. Sehr professionell sozusagen. Dem Moratschek bleibt sein Schnupftabak direkt am Nasenloch hängen, weil er gleich telefonieren muss. Beim

Verabschieden ist er ganz förmlich, erhebt sich von seinem Thron und schüttelt uns beiden die Hände.

»Du hast mir meinen Fall geklaut!«, sag ich so beim Rausgehen.

»Es war Teamwork! Wie früher halt«, sagt der Rudi.

»Teamwork ist aber, wenn beide gemeinsam was machen. Und nicht einer den anderen observiert und nebenbei noch zum Deppen macht!«, sag ich und bin leicht eingeschnappt.

Weil aber der Rudi weiß, wie er mir den Bauch pinseln muss, gehen wir auf ein paar Weißwürste mit Brezen und dem guten Händlmaier-Senf und gönnen uns ein kaltes Weißbier. Danach schaut die Welt gleich wieder anders aus.

Kapitel 22

Ja, auch die Welt vom Ossi-Klaus und dem Ferrari schaut jetzt anders aus. Die deutsch-spanische Verbindung der Behörden arbeitet überaus eifrig, und im Handumdrehen stehen die zwei am Münchner Flughafen, handgeschellt und weiß wie Winterkartoffelknödel. Ich bin natürlich live dabei, sagen wir als Urheber des ganzen Szenarios. Der Rudi nicht, der will mir die Schau nicht stehlen, sagt er.

Der Ferrari weint, aber Tränen kleiden sie göttlich, und sie hat die Mütze auf dem Arm. Wir stehen uns so gegenüber und irgendwie erwart ich jetzt, dass sie sich an mich schmiegt. Tut sie aber nicht. Vermutlich wegen den ungünstigen Umständen. Stattdessen sagt sie: »Du, Franz, ich muss dich um einen Gefallen bitten. Und sag bitte nicht Nein!«

Ein Tränlein rollt ihr übers Kinn und ich schmelze so dahin. Ich nicke.

»Kannst du das Klärchen zu dir nehmen, für ein paar Jahre vielleicht? Ich weiß, sie mag dich … und ich weiß, sie mag den Ludwig.

Und wenn sie in guten Händen ist, geht es mir besser.«

Ich nicke wieder und hab dann einen Knödel im Hals und einen Hund auf dem Arm. Dann wird sie von den Kollegen weggeführt.

Die Oma freut sich über den Familienzuwachs, weil er umsonst ist. Und sie weiß haargenau, was diese reinrassigen Viecher normalerweise kosten. Ich sag ihr, dass es nur eine Leihgabe ist, aber auch geliehen mag sie die Mütze. Der Papa dagegen ignoriert sie total, der hat Wichtigeres zu tun. Der Leopold kommt nämlich morgen und da muss er schließlich fit sein. Die Mütze mag den Papa schon, und wenn sie nicht gerade in der Mulde vom Ludwig verweilt, dann auf dem Bauch vom Papa, oder sie verfolgt ihn auf Schritt und Tritt.

Weil die Oma jetzt über zwei Wochen nirgends hingekommen ist, bin ich natürlich fällig. Dazu muss ich vielleicht kurz erklären, dass die Oma mit dem Papa nicht Auto fährt. Weil: der fährt wie ein Geisteskranker, sagt sie. Und nicht, dass sein Fuß etwa bleischwer auf dem Gaspedal kleben würde. Nein, gar nicht. Es ist mehr das Gegenteil. Wenn er seinen alten

Hobel nämlich endlich einmal aus der Garage holt, dann fährt er mit Genuss, wie er sagt.

Also Schrittgeschwindigkeit.

Und das eine oder andere Mal haben sich schon Autofahrer bei mir im Büro beschwert, dass er den gesamten Verkehr lahmlegt. Sogar ein Traktorfahrer war darunter.

Der Papa sagt halt, man verlangt ja auch von einem alten Menschen keine Sprints mehr. Warum dann von einem alten Auto? Und die Oma sagt, sie geht lieber zu Fuß, als dass sie sich die ganze Zeit das Vogelzeigen der Überholer anschaut. Und genau aus diesem Grund hat sie jetzt Entzugserscheinungen, weil sie eben so lange den Hof nicht mehr verlassen hat. Jetzt bin ich also fällig.

Wie ich aus dem Saustall rauskomm, hockt sie schon im Auto.

»Aldi, Lidl, Wochenmarkt«, schreit sie und schaut auf ihren Zettel, wo sie es genauso notiert hat. Ich glaub aber, der Wochenmarkt am Anfang wär besser, weil da noch mehr Auswahl ist, und deute ihr das auf den Notizen, aber sie schüttelt den Kopf.

»Nein! Den Wochenmarkt am Schluss. Weil: bevor die zusammenpacken und heimfahren, kriegst du alles viel billiger.«

Ja, klar!

Da hätt ich auch selber draufkommen können.

Wie wir heimfahren, ist das Auto voll, das kann man gar nicht glauben. Wir haben Vorräte für weiß-Gott-wie-lang, weil die Oma behauptet, die Inflation wird immer schlimmer und man muss vorsorgen. Wir fahren noch schnell beim Simmerl vorbei und bestellen Fleisch für das Willkommensessen morgen Abend. Die Oma kann natürlich nicht über den Tresen schauen, und so beugt sich der Simmerl weit darüber, um mit ihr zu reden.

»Schrumpelst ganz schön so dahin, gell, Lenerl!«, sagt er in der Gewissheit, dass sie ihn eh nicht hören kann.

»Sag ihm, er soll sein blödes Maul halten!«, sagt die Oma zu mir und geht hinaus. Weil sie nämlich an einem Gesicht ganz genau ausmachen kann, was der Besitzer so von sich gibt.

»Halt dein blödes Maul!«, sag ich zum Simmerl im Rausgehen.

»Sehen wir uns heute auf ein Bier, Franz?«, schreit er mir hinterher.

»Kann schon sein.«

Dann fällt die Tür ins Schloss.

Am Nachmittag muss ich dann das Gras mähen, weil es ja eindeutig meine Schuld ist, dass der Papa das momentan nicht tun kann. Und abschließend fahr ich ihn noch zur Krankengymnastik. Wegen der Hitze draußen hock ich in den klimatisierten Räumen der Praxis und hör ständig sein gequältes Gestöhne. Bei jeder einzelnen Übung. Lächerlich.

Nach so einem ausgeprägten Familientag ist mir nach Abwechslung und Bier, und beides find ich beim Wolfi. Der Simmerl ist auch schon da, und eigentlich fehlt nur noch der Flötzinger. Und der ist es auch, nach dem ich jetzt frag. Wie auf ein Stichwort haut mir der Simmerl auf die Schulter und sagt: »Der Flötzinger? Ja, der Flötzinger hat für uns momentan keine Zeit mehr, Franz. Der hat nämlich was Besseres zu tun, weißt. Weil er halt die Schnauze jetzt endgültig voll hat von der Mary und ihrem Flanell. Und da hat er sich nun lieber eine Zuckerschnute in zarten Spitzen zugelegt, der Hund!«

Ich bin ziemlich platt, muss ich schon sagen, und der Simmerl erzählt weiter. Also, der Flötzinger hat jetzt ein Gspusi, keiner weiß was Genaues. Vermuten tut man aber, dass es sich dabei um die Susi handelt.

Das ist ja allerhand!

Meine Susi und der Flötzinger!

Unglaublich!

Darum also die blöde Joggerei und die Jeans und die Verbannung vom grün-blauen Jogger. Das gibt jetzt alles einen Sinn. Weil mir momentan das Bier nicht mehr schmeckt, geh ich lieber heim.

Am nächsten Tag kommt der Leopold. Ja, was soll ich da noch sagen? Der Papa völlig von der Rolle, freut sich wie ein Kleinkind zu Weihnachten und wird auch dementsprechend beschenkt. Kriegt einen Buddha in Lebensgröße, was ja nicht schwer ist, weil die Thailänder an sich ja winzig sind, und natürlich ein Buch über Thailand mit Hochglanzfotos.

Die Oma bekommt ein erstklassiges Gewürzset mit lauter scharfen Sachen, die sie seit jeher nicht mag. Und ich bekomm nix.

»Na, wie war's denn auf Mallorca, Franz?«, will der Leopold wissen. Lehnt sich überheblich auf dem Sofa zurück und streckt beide Arme über sich auf die Lehne.

»Großartig! Einfach großartig!«, sag ich so.

»Ist doch eigentlich die Insel der Putzfrauen und Alkoholiker, nicht wahr?«

»Thailand … lass mich überlegen, Leopold«, ich hab jetzt auch diesen abwertenden Ton drauf. »Thailand ist doch die Insel für Männer, die kein Weib abkriegen oder auf kleine Kinder stehen. Lieg ich da richtig, lieber Leopold?«

»Ruhe jetzt!« Der Papa hat das Schlusswort.

Nach dem Essen sitzen wir zusammen, hören die Beatles, und der Leopold zeigt Fotos von seiner neuen Roxana. Sie schaut aus wie fünfzehn und sitzt im Bikini am Strand. Der Leopold sagt, dass die Thailänder ein ganz wunderbares Volk sind und Ahnenverehrung betreiben. Er macht das jetzt seit Neuestem auch und hat einen ganz innigen Kontakt zu der Mama. Der Papa kriegt nasse Augen und mir steht das Kotzen bis zum Hals. Die Oma schaut die Fotos an und sagt dann: »Ist jetzt das da dein neues Flidscherl?«

Der Leopold ignoriert die Frage. Stattdessen will er wissen, wem der kleine Hund gehört, und ich sag: »Mir!«

»Das ist ja ein extrem hässliches Exemplar«, sagt er so zu mir.

Später, wie die Mütze in der Bauchmulde vom Papa liegt und wir alle einträchtig der Musik lauschen, sagt er zum Papa: »Das Hündlein mag dich, gell?«

Der Papa nickt und wirft einen Blick auf seinen pelzigen Wanst.

»Das ist aber auch ein besonders goldiger Hund!«, sagt der Leopold und streichelt darüber. Die Mütze gähnt, und ich muss sagen, mich langweilt das jetzt auch. Ich schnapp mir den Ludwig und dreh meine Runde. Einszwanzig.

Am Montag in der Früh ist der Urlaub vorbei und ich geh ins Büro. Das heißt, zuallererst geh ich jetzt nicht direkt in mein eigenes, sondern in das von der Susi.

»Na, Urlauber, wieder im Lande?«, sagt sie, nicht freundlich und nicht unfreundlich, und schaut nur kurz vom Bildschirm auf.

»Gibt's was Neues?«, frag ich und stell mich direkt vor sie. Jetzt muss sie mich anschauen.

»Was Neues? Ja, was soll's denn Neues geben?«

»Ja, zum Beispiel, dass du es ganz wild mit dem Flötzinger treibst.«

Irgendwie kommen die Wörter völlig selbstständig aus meinem Mund. Sie schaut mich an und jetzt wär's mir direkt lieber, sie würd sich wieder dem Bildschirm widmen. Ihr Blick ist … ja … wie soll ich sagen, unfreundlich eben.

»Du blöder Arsch! Kannst du mir bitte schön mal mitteilen, wer so was rumerzählt? Und vielleicht auch noch, was dich das überhaupt angeht? Und jetzt raus hier!«

Unfreundlich, muss ich schon sagen.

Bei mir im Büro ist es dann deutlich besser, weil mich nämlich der Moratschek anruft. Er heißt mich herzlich willkommen an meinem ersten Arbeitstag, grad so, als wär ich monatelang im Koma gelegen.

Aber dann kommt's: Die weitere Aufklärung im Fall Mendel / Kleindienst hätte ergeben, dass die beiden eine ganze Latte ähnlicher Straftaten auf dem Buckel haben. Keine Morde natürlich, das war ganz exklusiv in Niederkaltenkirchen. Aber diese Abzocke von Immobilien eben, und alles in betrügerischer Absicht. Da kommen Dinge ans Licht, wo die Kollegen, und zwar landesweit, schon lange erfolglos ermittelt haben.

Na, also.

Der Eberhofer Franz, der alte Psychopath, klärt quasi im Urlaub und völlig entspannt alle ungeklärten Fälle der letzten Jahre auf. Das geht natürlich runter wie Öl.

Ja, und höflich ist er, der Moratschek, das kann man gar nicht glauben. Wobei er sowieso eine Seele von Mensch ist. Aber das, glaub ich, hab ich schon erzählt.

Und jetzt ist es wohl so, dass es demnächst zu einer Verhandlung kommt, und der Rudi und ich, wir sind natürlich die Hauptbelastungszeugen. Das ist einfach perfekt! Ein paar Zeitungsberichte hat er auch, sagt der Moratschek. Und die schickt er mir in den nächsten Tagen.

»Gell, das hätten Sie nicht geglaubt?«, sag ich am Schluss. »Lieber hätten Sie mich noch hundertmal zum Spechtl geschickt, anstatt mir das zu glauben.«

»Der Spechtl, meine Güte! Wär der lieber mal bei seinen Nasen und Ohren geblieben«, sagt der Moratschek.

»Ach, übrigens: Nasen und Ohren. Da fällt mir ein, ich soll Ihnen vom Spechtl ausrichten, dass Sie die Finger vom Schnupftabak ...«

Der Moratschek hat aufgelegt, und ich lehn mich in meinem Stuhl zurück. Dann ruf ich den Birkenberger an, um meinen Leckerbissen zu teilen. Leider erwisch ich ihn wieder mitten in einer Observierung und er kann nicht reden.

Kapitel 23

Ich mach heute früher Feierabend. Weil: erstens soll man es nicht gleich übertreiben, und zweitens muss ich die Oma zur Massage fahren. Wir fahren also grad so gemütlich, da kommt uns der Flötzinger entgegen. Und zwar nicht in seinem grindigen Gas-Wasser-Heizungs-Bus, sondern ganz elegant im Privat-BMW. Hat das Fenster sperrangelweit offen und lässig den Arm rausbaumeln. Trägt eine Sonnenbrille und ein dümmliches Grinsen im Gesicht und ist offensichtlich nicht allein. Grad, wie ich die Begleitung anschauen will, blendet mich die Sonne derart, dass ich leider nur noch erkenn, dass es eindeutig kein Mann ist.

Wie ich die Oma dann der Masseuse übergeben hab, plagt mich die Neugier. Ich möcht ums Verrecken gern wissen, wen der Flötzinger da durch die Gegend kutschiert. Die Mary ist es jedenfalls nicht, das prüf ich als Erstes. Nein, sagt sie, ihr Gatte ist nicht daheim. Und dann schmiert sie dem Ignatz-Fynn eine, gleich nachdem der halt der Clara-Jane eine geschmiert hat.

Ich fahr weiter zum Rathaus, weil mein nächster Verdacht natürlich bei der Susi liegt. Sie ist nicht in ihrem Zimmer, und die Kollegin sagt: »Ja, die Susi ist heute schon etwas früher weg. Soviel ich weiß zum Zahnarzt.«

Zum Zahnarzt also.

Weil ich natürlich weiß, zu welchem sie geht, die Auswahl ist hier jetzt auch nicht so riesig, fahr ich da hin. Ihr Auto steht nicht im Hof und auch nicht ihr Fahrrad. Ich schau eine Weile zu den Fenstern rauf, im ersten Stock, und schließlich halt ich es nicht mehr aus.

Im Wartezimmer ist sie nicht, das ist einwandfrei zu sehen. Aber es besteht die Möglichkeit, dass sie im Behandlungsraum ist. Um das herauszufinden, muss ich dableiben. Also täusch ich jetzt Zahnschmerzen vor, die schlimmer nicht sein könnten, und schon bin ich der Nächste. Wer immer grad da dran ist, muss eine Komplettsanierung kriegen, weil es dauert und dauert und dauert. Am Ende kommt ein Mann heraus, schweißgebadet und käsig, und in keiner Weise der Susi ähnlich. Meine Schmerzen verschwinden im gleichen Tempo, in dem sie gekommen sind, und schon bin ich weg.

Wieder im Auto, muss ich ständig an die Susi denken, wie sie in den Armen dieses miesen Heizungs-Pfuschers so dahinschmachtet. Wie sie mit ihren zarten Fingern durch sein ungepflegtes Haar streicht. Wie sie ihn am Hals küsst, wie sie es bei mir immer gemacht hat. Wie sie ihm ganz sanft den Buckel massiert.

Um Gottes willen!

Der Buckel!

Ich hab die Oma vergessen! Es fällt mir siedendheiß ein, grad wie ich so an den Flötzinger seinen Buckel denk. Ich tret aufs Gas und bin Sekunden später bereits vor der Massagepraxis. Aber es ist schon zu spät.

Weit und breit keine Oma in Sicht, und die Praxis ist schon zu, weil unser Termin der letzte war. Also fahr ich die Strecke ab, genau bis zu unserem Hof.

Keine Oma.

Der Papa sitzt im Garten mit der Mütze auf dem Schoß und weiß von nix. Wie ich auf dem Weg zurück zum Auto bin, schreit er mir hinterher: »Komm mir du ja nicht ohne die Oma heim, hörst du!«

Ich fahr wieder zur Praxis und versuch, durch die Fenster zu schauen, aber wegen

Intimsphäre ist alles blickdicht. An der Tür hängt ein Schild mit Namen und Öffnungszeiten, und eine Telefonnummer. Da ruf ich dann an.

»Schönen guten Tag, blablabla, leider rufen Sie außerhalb unserer Geschäftszeiten an, bla …«

Also auch nix.

Ich fahr noch einmal heim, keine Oma weit und breit. Dafür aber der Papa, ziemlich sauer, und der holt seinen alten Hobel aus der Garage und hilft mir beim Suchen.

Um es kurz zu machen: Dank der Mooshammer Liesl find ich die Privatadresse von der Masseuse und somit auch die Masseuse. Die sagt, sie hätt nach dem Termin mit der Oma im Büro ihre Buchführung gemacht. Und die Oma hat derweil am Fenster vom Behandlungsraum auf mich gewartet. Wie die Buchführung fertig war, ist die Oma weg gewesen und sie hat zugesperrt und ist heim.

Weil jetzt alles nix hilft, fahren wir noch einmal zusammen in die Praxis, vielleicht war die Oma ja am Klo zu der Zeit. Die Oma war nicht am Klo, sondern im Behandlungsstuhl. Weil: sie hat sich jetzt nämlich für ein Vermögen die Hühneraugen wegmachen lassen und da wollte sie sich mit der blöden Steherei nicht gleich neue holen, sagt sie. Drum hat sie sich in den Behandlungsstuhl gesetzt und auf mich gewartet. Und dann ist sie eingeschlafen. Und weil halt die Oma eine Rosine ist und der Stuhl mit dem Rücken zur Tür steht, hat die Masseuse sie nicht gesehen, bevor sie heimging. Wie wir reinkommen, schläft die Oma immer noch und ist einigermaßen verwundert, dass jetzt gleich der Papa und ich da sind, um sie abzuholen.

Beim Abendessen ist die Stimmung vom Papa frostig und irgendwann keift er mich an: »Du interessierst dich wirklich einen Scheißdreck für deine Familie. Du vergisst es, die Oma abzuholen, weigerst dich, meine Zehen zu suchen, und schreibst noch nicht mal eine Karte aus dem Urlaub!«

»Ja, sag einmal: spinnst du jetzt?«, werf ich grad ein, da zerrt er seinen dreizehigen Fuß unterm Tisch hervor und hält ihn mir direkt über den Teller.

Ja, Mahlzeit.

»Jetzt gib doch einmal eine Ruh mit deinem depperten Haxen!«, schreit die Oma. »Hättest ja die blöden Zehen bloß selber suchen müssen. Hast ja nix an den Augen gehabt oder an den Händen. Und lass mir jetzt den Bub in Ruh!«

Ich triumphier grad so über den Tisch, da schreit mich die Oma an: »Da brauchst jetzt gar nicht so blöd grinsen! Wennst' mich noch einmal irgendwo vergisst, dann ist der Teufel los, verstanden?«

Verstanden! Ich nicke.

»Sargnägel!«, murrt die Oma in ihren Teller. »Ihr seid's allesamt meine Sargnägel!«

Nach der Runde mit dem Ludwig setz ich mich hinter in den Garten und genehmige mir ein Bier. Nach einer Weile kommt der Papa mit einer Flasche Rotwein und setzt sich dazu. Sagen tut keiner was. Dann dreht er sich einen Joint, schaut provokant zu mir rüber und zündet ihn an. Zieht genüsslich und lässt den Rauch ganz langsam aus seinem Mund kreisen.

Provokant bis zum Gehtnichtmehr.

Keine zwei Minuten später und völlig unerwartet rollt der Leopold in den Hof. Kommt auf uns zu und sagt: »Sagt's einmal, haben wir noch irgendwo das alte Bettstadel, das wir früher … Sag einmal, Papa, ist das zufällig ein Joint, den du da grad rauchst?«

Dem Papa ist sein Willkommensgrinsen eingefroren. Stattdessen sagt er: »Erstklassiges Näschen, Bub!«

»Ich glaub, ich versteh nicht ganz«, sagt der Leopold ziemlich verdattert.

»Was genau verstehst jetzt da nicht?«, muss ich mich einmischen.

»Der Papa sitzt im Garten und raucht einen Joint, und du als Bulle hockst daneben und trinkst ein Bier!«

»Ich mag halt keine Joints«, sag ich.

»Du Arschloch! Du weißt genau, was ich meine!«

Jetzt ist der Leopold wirklich außer sich.

Der Papa deutet auf einen leeren Stuhl und sagt: »Setz dich!«

»Ich werd mich hüten! Glaubst du, ich kann mir so was erlauben? Da können sie dich einsperren dafür!«

Er schaut sich um, ob irgendwo die Drogenfahndung lauert, und redet dann weiter: »Wie lang weißt du das schon?«

Die Frage gilt mir.

»Seit ich auf der Welt bin.«

»Warum hab ich das nie mitbekommen?«

Die Frage gilt dem Papa.

»Schau, Leopold, es hat sich einfach nie ergeben«, versucht es der Papa.

Weil aber der Leopold nicht blöd ist (hinterfotzig schon, aber nicht blöd), durchschaut er die Sache.

»Du hast mir nicht getraut!«

Er fasst sich ziemlich theatralisch an die Stirn und sagt noch einmal, und diesmal verhältnismäßig schrill: »Du hast mir einfach nicht getraut!«

»Doch, schon. Eigentlich schon. Aber ...«

Weiter kommt der Papa gar nicht, weil der Leopold dann abdreht und wegfährt. Die Versuche vom Papa, ihn zurückzurufen, sind genauso halbherzig wie nutzlos.

»Du hast dem Leopold nicht getraut?«, sag ich so, mehr zu mir selbst, und bekomm auch keine Antwort.

Es ist mucksmäuschenstill. Eine ganze Zeit lang.

»Ich hab immer gedacht, der Leopold ist dein Lieblingssohn«, sag ich, und wieder mehr zu mir selber.

»Das hat der Leopold umgekehrt auch geglaubt«, sagt der Papa und nimmt einen Riesenschluck Wein. »Oder warum denkst du, hat er mich immer mit Geschenken überschüttet. Warum schleimt er mir her, dass es eine wahre Freude ist?«

»Geh, jetzt tu doch nicht so! Das Geschleime beruht schon auf Gegenseitigkeit. Glaubst, ich hab nie gemerkt, wie du ihn anschaust? Die reinste Götzenverehrung ist das, wenn du den Leopold anschaust.«

»Jetzt redest du genau wie er. Das sagt er auch immer, von deiner Person. So unähnlich seid ihr zwei euch vielleicht gar nicht.«

»Gott bewahre!«

Der Papa lacht leise, brummig und zufrieden.

Pause, wieder eine lange.

Dann möchte ich wissen: »Zwecks was braucht jetzt der Leopold ein Bettstadel?«

»Ja, mei, vielleicht hat er sich vermehrt.«

»Das würd grad noch fehlen!«

Später laufen die Beatles, genauer ihre Schmachtfetzen, und die Lautstärke ist beachtlich.

Wie ich am nächsten Tag in mein Büro komm, ruft mich der Moratschek an und sagt, der Ossi-Klaus hat sich in seiner Gefängniszelle erhängt. Hat ein seitenlanges Geständnis geschrieben und sich dann in aller Seelenruhe aufgehängt. Ja, so sind sie. Immer das Gleiche. Die, wo das Maul am weitesten aufreißen und den meisten Dreck am Stecken haben, machen sich genau da aus dem Staub, wo's brenzlig wird.

»In seinem Geständnis nimmt er alle Schuld auf sich, angeblich kann die Witwe überhaupt nichts dafür«, sagt der Moratschek.

»Die Witwe? Welche Witwe genau?«, frag ich.

»Ja, die Kleindienst halt. Moment … Alexandra Kleindienst. Ja, seine Komplizin halt.«

»Die waren verheiratet?«

»Ja, wartens' … gleich hab ich's … seit vier Jahren, um genau zu sein.«

Aha.

»Aha«, sag ich jetzt und bin ziemlich baff.

»Wie dem auch sei, Eberhofer, jedenfalls müssen Sie sich den Gashi noch einmal zur Brust nehmen. Wissens' schon, den Kranführer. Weil: der hat laut Geständnis den Container so lang über dem Neuhofer baumeln lassen, bis der eben … Ja, den Rest kennen Sie ja selber.«

Der Gashi also! Hat mich mein Gefühl doch nicht getäuscht damals. Allerdings hat mich mein Gefühl so was von getäuscht beim Ferrari, das kann man gar nicht erzählen. War die mit dem Klaus verheiratet! Und hat mir den Kopf verdreht, dass es mir immer noch ganz schwindelig ist. Aber so sind sie, die Weiber.

Bestimmt ist die Susi auch nicht anders. Macht mir einen auf beleidigt und eifersüchtig, und treibt's hinter meinem Rücken hemmungslos mit dem Heizungs-Pfuscher.

Kapitel 24

Weil ich jetzt, sagen wir einmal, ziemlich grantig bin, mach ich mich gleich auf den Weg zur Firma Krawall. Der Wallner steht vor einem Lkw und redet mit dem Gashi, der drin hockt. Beide rauchen eine Zigarette und ihre Wiedersehensfreude hält sich in Grenzen. Ich zieh mal gleich meine Waffe, um von vornherein alle Unklarheiten zu beseitigen. Beide lassen die Kippen fallen und reißen die Arme in die Höh.

»Aussteigen, aber hurtig!«, schrei ich den Gashi an, und er steigt aus. So schlecht können seine Deutschkenntnisse also gar nicht sein. Mit den Handschellen gefesselt, nehm ich ihn mit in mein Büro. Vorher kommt noch der Wallner an den Streifenwagen und klopft mir ans Fenster.

»Wie lang wird das dauern? Das ist mein bester Mann.«

»Der beste Mann hat einen Mord begangen, mein Freund! Und vor ein paar Wochen sind Sie mir in den Ohren gelegen, dass wir die Sache aufklären sollen, weil sonst Ihr Ruf im Arsch ist. Wenn Sie aber Mörder einstellen, brauchen Sie sich um Ihren Ruf sowieso nix zu scheißen!«

Fenster rauf, Abfahrt.

»Ich bin doch kein Mörder!«, sagt der Gashi unterwegs. Akzentfreies Deutsch.

Wie sich hinterher rausstellt, ist er schon seit seinem zweiten Lebensjahr hier und spricht beide Sprachen fließend. Die Nummer von damals mit dem Dolmetscher war nur ein Spaß, sagt er, und es tut ihm auch leid. Ich mach mir jetzt auch einen Spaß, und zwar so: Ich häng ihm nämlich alle vier Neuhofermorde der Reihe nach an den Hals, ausgemalt bis ins Detail. Wie er nach einem Anwalt schreit, behaupte ich steif und fest, keiner wäre bereit, ihn zu vertreten. Einen Vierfachmörder vertritt man halt nicht, weil: die Erfolgsaussichten sind gleich null.

»Aber das Einzige, was ich getan hab, war, den Kran nicht zu bewegen. Eine Zeit lang zumindest. Der Mendel hat zu mir gesagt, er hätte mit dem Neuhofer gewettet, dass der sich nicht traut, unter dem Container zu stehen. Aber der hat sich schon getraut. Und dann wollte der Mendel, dass der blöde Container eben eine Weile über dem Neuhofer schwebt, damit er Angst kriegt. Das hab ich dann gemacht und dafür schon vorher hundert Euro kassiert. Das war alles! Ich schwör's!«

»Ich schwör's! Ich schwör's! Ja, was glaubst denn du eigentlich, wie oft ich diesen Satz schon gehört hab?«

Ich beug mich weit nach vorn und wir atmen uns an. Dann beginnt er zu weinen, der spaßige Albaner. Und ich bin zufrieden. Er unterschreibt seine Aussage und kann gehen.

Nachdem er weg ist, steht meine Bürotür offen und ich kann durch den Gang hindurch ein Lachen vernehmen. Kommt aus dem Büro von der Susi und es muss dort unheimlich lustig sein. Wenn ich ganz genau hinhör, kommt mir die Lache bekannt vor. Nicht die von der Susi, die ja sowieso. Nein, die zweite, und ich muss sagen: unangenehmere. Ich mach mich gleich auf den Weg, und wie ich vor der Susi steh, steh ich gleichzeitig auch vor dem Flötzinger. Die zwei lachen weiter, so als ob's mich gar nicht gäb.

»Was ist denn jetzt da so lustig bei euch herinnen?«, frag ich, weil mir so spontan nichts Besseres einfällt.

»Ach, nix!«, sagen beide und verschmelzen zu einem Mund.

»Ja, Susi, danke dann. Wir sehen uns!«, sagt der Flötzinger.

»Schon gut«, flötet die Susi und streift eine Haarsträhne aus der Stirn. Sie ist rot geworden und das kleidet sie ganz einwandfrei.

»Du, Franz, ich hätt deine Rechnung im Auto. Willst die gleich mitnehmen?«, fragt mich der Flötzinger.

»Nein«, sag ich. »Die kannst der Oma bringen.«

Und der Flötzinger verschwindet schulterzuckend.

»Was wollte der von dir?«, frag ich die Susi.

»Herrgott, Franz! Was wird er denn schon wollen? Was hast du eigentlich für ein Problem, die letzte Zeit?«, fährt sie mich an.

»Ich hab gar kein Problem. Aber der Flötzinger wird jetzt dann bald eins kriegen!« Ich dreh mich ab und geh.

Weil sowieso grad Mittagspause ist, verbind ich das Nützliche mit dem Angenehmen und hol mir beim Simmerl ein paar Leberkässemmeln. Ich muss anstehen. Vor mir ist eine Frau, die ich nicht kenn und die auch nicht unsere Sprache spricht.

»Ein Fleischkäsebrötchen, bitte«, sagt sie.

»Haben wir nicht«, sagt der Simmerl.

»Wie bitte?«

»Haben wir nicht«, sagt der Simmerl. Und dann zu mir: »Servus, Franz!«

»Servus, Simmerl«, sag ich. »Für mich bitte auch Fleischkäsebrötchen, drei Stück, wenn's recht ist«, sag ich und muss grinsen.

»Seid's jetzt ihr zwei deppert?«, fragt der Simmerl.

Die Frau schnaubt.

»Herrgott Simmerl!«, sag ich.

»*Herr* Simmerl allein reicht völlig«, er zwinkert mir zu. Dann macht er vier einwandfreie Leberkässemmeln und die Frau ist erleichtert und geht.

»Du, Simmerl«, sag ich, wie ich ihm mein Kleingeld auf den Tresen zähle. »Wie kommst jetzt du ausgerechnet drauf, dass der Flötzinger und die Susi …«

Der Simmerl packt die Semmeln ein und sagt: »Ja, weil ich sie gesehen hab, die zwei. Beim Joggen. Grad, wie ich auf dem Weg war zum Vereinsheim Rot-Weiß. Die kriegen doch das Fleisch von mir. Ja, ich bin halt die Strecke durch den Wald gefahren und da hab ich sie gesehen. Den Flötzinger und die Susi. Stehen da mitten im Wald und machen Dehnübungen.«

Dehnübungen!

Der Simmerl begleitet mich noch hinaus und sagt weiter: »Außerdem hat der Flötzinger beim Bier ein paar Andeutungen gemacht von wegen zweiter Frühling und so. Wenn die Mary das erfährt, dann ist was geboten! Die haut ihm das Geschirr um die Ohren, so schnell kann sich der gar nicht ducken. Wobei mir persönlich das eigentlich schon viel lieber wär. Weil: die Gisela … die Gisela, wenn sauer ist, die macht rein gar nichts. Macht nix und sagt nix. Schaut mich nur an mit einem Blick, der sprechen kann. Und der sagt dann: Hörst du, wie ich schweige! Eine Katastrophe! Da wären mir ein paar zerschlagene Teller tausendmal lieber.«

»Jetzt schau, dass du reinkommst! Die Kundschaft wartet!«, schreit die Gisela aus der Metzgerei, und schweigend kann ich sie mir jetzt gar nicht vorstellen. Der Simmerl verdreht die Augen und sagt: »Ja, da wünscht man sich schon manchmal so ein Schätzchen, das kann man dem Flötzinger gar nicht verdenken. Ein bisschen Frühling halt, kurz bevor der Herbst kommt!«

Ein Poet, der Simmerl.

Weil es mich jetzt gleich zerreißt, fahr ich zum Flötzinger heim. Der macht mir die Tür auf und hat einen Koffer in der Hand. Ein paar seinesgleichen stehen in der Diele.

»Ja, wo willst jetzt du hin?«, frag ich, weil mir gleich eine Flucht durch den Kopf schießt.

»Ich will überhaupt nirgends hin. Die Mary fährt mit den Kindern zu den Schwiegereltern. Wie immer in den Ferien. Was dagegen?«

»Und du bleibst da?«

»Und ich bleib da, wenn's recht ist.«

»Dann kannst ja ganz viel joggen die nächste Zeit, gell?« Er hört auf, mit den Koffern zu kramen, stemmt seine Arme in die Hüfte und sagt: »Das kann schon sein.«

»Was hast jetzt du von der Susi wollen, grad eben?«

»Ja, was man halt so will auf der Gemeinde. Den Pass von der Mary abholen, zum Beispiel. Weil der verlängert worden ist. Was dagegen?«

»Ich würd dir jetzt gern in die Fresse schlagen. Was dagegen?«, sag ich so im Gehen.

Wie ich heimkomm, hält mir die Oma einen Prospekt vor die Nase und sagt: »Da müssen wir hin!«

Vermutlich meint sie den Obi, zumindest ist der Prospekt davon.

»Ja, was willst jetzt du beim Obi?«, frag ich schulterzuckend und deut auf das Papier.

»Einen Rasenmäher kaufen. Und zwar einen gescheiten. Wo er draufhocken kann, dein Vater. Damit das ewige Zehengejammer ein Ende hat«, sagt die Oma.

»Gartengeräte im Ausverkauf!!!«, steht auf dem Zettel.

Wir fahren los.

Eine kleine Blonde mit Ohrringen so weit die Muschel reicht, bedient uns recht freundlich. Führt uns schnurstracks zu den Rasenmähern und zeigt uns die Modelle im Traktorenformat.

Man merkt, sie kennt sich aus: »MTD-Rasenmäher, Modell RS hundertfünfzehn Strich sechsundneunzig. Mit Seitenauswurf und Zwei-Messer-Turbo-Schneidsystem. Viertaktmotor. Schnittbreite sechsundneunzig Zentimeter. Bis zu zehn Stundenkilometer. Mit dem Sonderrabatt: keine tausend Euro. Ist übrigens unser Kronjuwel. Ein Supermodell. Modell des Jahres zweitausendzehn«, singt sie uns her.

»Wir suchen so mehr das Modell Auslauf«, sag ich, und die Oma weiß gleich, was ich gesagt hab, und nickt.

»Auslauf?«

Die Blonde macht jetzt einen auf Blöde und runzelt die Stirn.

»Ja billiger haben wir so ein exklusives Teil natürlich nicht. Werden Sie auch beim Praktiker oder beim Bauhaus nicht billiger finden.«

»Vorjahresmodell?«, frag ich.

Sie schüttelt den Kopf.

»Vorvorjahresmodell?«

»Ich muss mal unsern Lagermeister fragen. Vielleicht hat der noch was hinten.«

»Tun Sie das.«

Eine halbe Stunde später haben wir für knappe fünfhundert Euro ein Auslaufmodell allererster Klasse, Lieferung frei Haus, Anfang nächster Woche.

Na, also.

Noch am selben Abend leg ich mich beim Heizungs-Pfuscher auf die Lauer. Nachdem ich mich beim Wolfi überzeugt hab, dass der Flötzinger dort nicht rumhängt, geh ich direkt zu ihm heim. Das Haus ist dunkel und offenbar verwaist. Sein Wagen steht nicht in der Auffahrt. Aber irgendwann muss er ja kommen. Und ich werd hier nicht eher weggehen, bevor das geschehen ist. Schließlich muss ich endlich wissen, ob er die Susi im Schlepptau hat oder nicht. Ich setz mich auf der Veranda in einen Lehnstuhl und warte.

Es dauert gar nicht lange und ich merk, wie meine Augen und Nasenlöcher protestieren. Vermutlich kleben hier überall die Haare von den blöden Katzen, auch an meinem Lehnstuhl. Grad wie ich aufgeben will, kommt der Flötzinger und ist zweifellos nicht allein. Ich höre Stimmen, die flüstern und kichern. Sehen kann ich mittlerweile leider nichts mehr. Meine Prioritäten verlagern sich schlagartig, weil ich nur noch heim will. Heim, zu meinen Allergietropfen und um zu duschen. Wen auch immer der Flötzinger da grad flachlegt, interessiert mich einen Scheißdreck.

Wie sich am nächsten Tag herausstellt, hätt ich mir diese Qualen sparen können, aber alles der Reihe nach.

Ich bin früh im Büro und das ist gut so, weil nämlich gleich das Telefon läutet. Dran ist die Mooshammer Liesl und die sagt, ich muss kommen.

»Was ist denn los, Liesl? Wohin soll ich denn kommen und warum?«, frag ich so und kann mir ein Gähnen nicht verkneifen.

»Ja, weil der Flötzinger grad gehauen wird, so was hab ich in meinem ganzen Leben noch nicht gesehen. Wenn er das überlebt, hat er ein Glück gehabt!«, sagt die Liesl. Mir bleibt mein Gähnen direkt im Hals stecken und ich frag: »Ja, von wem wird denn der Flötzinger gehauen?«

»Ja, das weiß ich doch nicht. Ein Riesenkerl halt. Weißt, ich koch mir da grad so meinen Kaffee und schau aus dem Küchenfenster. Da seh ich, wie der Flötzinger über den Hof fliegt, von einer Ecke in die andere. Immer wieder. Und er hat nur eine Unterhose an.«

»Eine Unterhose?«

»Ja, so Boxershorts halt. Blau-weiß kariert, glaub ich.«

»Bist du sicher?«

»Ja, genau weiß ich das nicht. Es kann auch grün-weiß sein. Das sieht man jetzt nicht so gut auf die Entfernung«, sagt die Liesl, und ich hör sie am Kaffee schlürfen.

»Nein, ich mein nicht die Unterhose. Ich will wissen, ob du sicher bist, dass es der Flötzinger ist, der gehauen wird. Nicht, dass die bloß einen Spaß machen.«

»Spaßig schaut es nicht aus, Franz. Soviel ich seh, hat der Flötzinger bald keinen Zahn mehr im Mund.«

»Keinen Zahn mehr. Ja, gut, ich komm vorbei und schau mir das an.«

Wie ich hinkomm, ist die Situation unverändert und genau so, wie's die Liesl gesagt hat. Der Flötzinger in Unterhosen wird beinah in Stücke zerlegt und fliegt mehrfach direkt vor meinen Augen durch die Luft.

Ich nehm die Pistole aus dem Halfter und leg an.

»Aufhören, Polizei! Hände aufs Autodach und Beine auseinander!« Und der Schläger hört auf, nimmt die Hände aufs Autodach und die Beine auseinander. Na gut, nicht gleich vielleicht. Ein paarmal haut er dem Flötzinger schon noch seinen Fuß in den Bauch. So auf Höhe der Nieren ungefähr. Aber dann geht er brav ans Auto. Abtasten, Handschellen, Streifenwagen. Fertig.

Dann schau ich mir den Verletzten an und muss schon sagen: mein lieber Schwan!

Ich ruf einen Sanka.

»Du blöde Hure!«, schreit jetzt der Schläger in Richtung der Haustür. Und da sitzt auf der Treppe eine Frau mit blauen Augen (und damit mein ich nicht die natürliche Farbe) und weint.

»Sind Sie die Frau von dem?«, will ich jetzt wissen.

Sie nickt und mir fällt ein Stein vom Herzen.

Weil es also nicht die Susi ist!

Der Sanka kommt, packt den Flötzinger ein und verpasst der Frau einen Eisbeutel für die Augen. Dann nehm ich die zwei Fremden mit in mein Büro.

Auf dem Weg durch den Flur reiß ich die Tür zur Susi auf und ruf rein: »Das hast du wunderbar gemacht!«

»Ich hab doch überhaupt nix gemacht!«, ruft sie zurück.

»Eben!«, sag ich und schließe die Tür.

Bei der Vernehmung von diesem groben Lackel stellt sich heraus, dass sein Weib vor ein paar Wochen ein Seminar für Selbstständige besucht hat, bei dem zufällig auch der Flötzinger war. Seitdem ist sie ein anderer Mensch und kaum mehr daheim. Wie sie gestern Nachmittag dann ihre Reisetasche gepackt und behauptet hat, sie muss geschäftlich weg, ist ihr der Gatte hinterher. Der Rest ist bekannt. Jetzt kriegt er eine Anzeige wegen Körperverletzung, vermutlich einer schweren, wenn nicht gar lebensbedrohlichen. Aber erst einmal schauen, wie's dem Opfer geht.

Kapitel 25

Grad wie ich mich dem Zustand des lädierten Flötzingers widmen will, läutet mein Telefon und der Moratschek ist dran. Er fragt, ob ich die Unterlagen erhalten hab, die er mir geschickt hat. Von wegen Zeitungsberichten und so. Hab ich alles erhalten und muss sagen, ich war einigermaßen enttäuscht. Weil in diesen Berichten von der »hervorragenden Arbeit der Bayerischen Polizei« gesprochen wird, die »Fälle klärt, an denen sich die Kollegen landesweit lange die Zähne ausgebissen haben«. Ja, gut, so weit ist alles richtig.

Aber kein Wort, nicht einmal eine Andeutung vom Birkenberger oder mir. Rein gar nix. Nicht einmal: Polizeibeamter E. aus N. oder so was.

»Ja, da dürfens' jetzt nicht so empfindlich sein, Eberhofer. So was interessiert die Leut nicht. Keiner will wissen, wer den Fall aufgeklärt hat. Wichtig ist, *dass* er aufgeklärt wurde«, sagt der Moratschek. »Aber ganz was anderes. Wir haben da ein Problem mit der Frau Kleindienst.«

Aha.

»Aha«, sag ich.

»Ja, weil die Frau Kleindienst nämlich jetzt beschlossen hat zu schweigen. Verweigert jede Art von Aussage. Bockt geradezu. Der Spechtl war auch schon dran, aber dem hat sie auch nix gesagt.«

»Ja, gut, und was erzählen Sie mir das jetzt?«, möcht ich wissen.

»Weil besagte Person einzig und allein mit Ihnen reden will, sagt sie.«

»Mit mir?«, frag ich und kann eine gewisse Genugtuung nicht leugnen.

»Mit Ihnen, Eberhofer!«

Pause. Schnupftabak.

Ein langes nasales Einschnaufen, dann: »Aaah. Ja, mit Ihnen Eberhofer. Machens' schön einen Termin in der JVA heut Nachmittag, die Kollegen wissen Bescheid!«

»Ja, ich werde die Angelegenheit regeln«, sag ich in einer professionellen Großzügigkeit und leg auf.

Auf dem Weg ins Gefängnis fahr ich im Krankenhaus vorbei, um nach dem Flötzinger zu sehen. Und ich muss sagen, viel von ihm zu sehen gibt's da im Grunde nicht. Er ist von oben bis unten in Verbände gewickelt und schaut aus wie ein lebendiger Tampon. Wobei jetzt lebendig vielleicht auch übertrieben ist. Der Doktor sagt, es hat ihn gescheit erwischt. Nichts Lebensbedrohliches, aber eine Weile wird er schon brauchen, bis er wieder der Alte ist.

Und der Flötzinger sagt, er will überhaupt nicht mehr der Alte werden. Will sein ganzes Leben ändern. Haut praktisch jetzt den Rückwärtsgang rein, wo er gemerkt hat, dass er in einer Sackgasse steckt. Ich kann ihn kaum verstehen, weil der Kiefer und die Zähne, ja eigentlich der ganze Schädel rekonstruiert wurden. Aber mit ein bisschen Geduld kann ich dann schon raushören, dass ich die Mary anrufen soll. Ich soll anrufen und erzählen, dass ihr Gatte eine schwere, nicht voraussehbare Zahnoperation gehabt hat und er deshalb nicht sprechen kann. Von dem Gehaue darf sie nichts erfahren, sagt der Flötzinger. Weil er halt mein Freund ist und mir jetzt schon ein bisschen erbarmt, ruf ich also an: »Ja, eine schwere Zahnoperation, Mary. Er kann leider nicht sprechen, weil sein ganzer Kiefer praktisch im Arsch ist«, sag ich, wie ich sie am Apparat hab.

Der Flötzinger schaut mich dankbar an.

»Ja, was ist denn genau passiert?«, will die Mary wissen.

»Ja, genau … genau weiß ich das jetzt auch nicht. Die Weisheitszähne, glaub ich«, sag ich, weil mir so spontan auch nix anderes einfällt.

»Das hab ich ihm schon hundertmal gesagt, dass er die einmal machen lassen muss. Die quälen ihn doch schon seit Jahren!«

Der Flötzinger verdreht die Augen in seinem Bett, das kann man gar nicht glauben.

»Ja, jetzt hat er sie los. Alle vier«, sag ich.

Dann bekomm ich liebe Grüße und Genesungswünsche durch den Hörer und ein paar Schmatzer. Der Flötzinger kriegt samt Gesichtsruine noch ein: »Arschloch!«, über die Lippen, und ich sag dem Doktor, die Weisheitszähne müssen raus. Alle vier. Weil ihn die schon immer quälen.

Der Arzt sagt, das ist kein Problem und weil er jetzt sowieso schon nichts essen kann, machen sie die gleich morgen raus. Alle vier.

Perfekt!

Der Flötzinger kann mir trotz schwerster Verletzungen noch den Stinkefinger präsentieren, und dann bin ich weg.

Wie ich in den Sprechraum der JVA München Neudeck komm, ist der Ferrari schon da. Sie freut sich, wie ich komm, und hat ganz nasse Augen.

»Wie geht es dem Klärchen?«, ist das Erste, was sie interessiert.

»Großartig! Alles bestens«, sag ich so und setz mich zu ihr. Es ist ein bisschen komisch, wir zwei so gegenüber und versperrt, und anfangs will sie gar nicht recht reden oder kann einfach nicht. So vergeht die Zeit mit Schweigen und banalen Worten.

»Du, wenn es noch was zu sagen gibt, dann mach es bald, die Zeit läuft ab«, sag ich mit einem Blick auf die Uhr. Dann bricht sie in Tränen aus und alles kommt auf einmal. Sie erzählt, dass sie dank dem Geständnis vom Klaus keine große Strafe zu erwarten hat und wohl bald wieder hier raus darf.

»Ich liebe dich, Franz! Wirst du da sein, wenn ich entlassen werde?«, fragt sie und greift nach meiner Hand. Sie schaut umwerfend aus mit ihren glänzenden Augen, und ihre Finger sind ganz sanft. Ein banges Lächeln formt ihren Mund.

»Auf gar keinen Fall!«, sag ich und will meine Hand zurück. »Du hast mich verarscht vom ersten Tag an. Alles, was du mir erzählt hast, war gelogen. Mit Ausnahme vielleicht, dass dein Vater ein Franzose war. Deshalb auch der Vorname Mercedes. Alexandra Mercedes Kleindienst. Hab ich aus deinen Akten. Alles andere war falsch, mein Schatz. Allein die Geschichte mit dem Dechampes-Sonnleitner! Noch nicht einmal dein Name war echt.«

»Das war dein eigener Fehler. Ich hab nie behauptet, so zu heißen!«, schmollt sie mir jetzt her und vermutlich hat sie recht.

»Ich bin einfach davon ausgegangen, dass du so heißt, weil du in dem Gut gewohnt hast. Du hast aber keinerlei Anstalten gemacht, die Sache richtigzustellen. Ganz im Gegenteil. Du hast erzählt, du renovierst das Gut, weil im Sommer deine Eltern kommen. Wozu das alles? Damit kein Verdacht auf dich fällt und du ungestört deiner Immobilien-Abzocke nachgehen kannst?«

»Ich gebe ja zu, diese Identität war sehr nützlich für mich. Ich war damit ja sozusagen eine Einheimische. Und das ist ein ziemlicher Vorteil in Niederkaltenkirchen, das weißt du genau. Aber das war die geschäftliche Seite. Und das hat absolut nichts mit mir privat zu tun, Franz.«

Sie nimmt wieder meine Hand und fängt an, meine Finger zu lutschen.

Aber nicht mit mir! Ich zieh sie zurück.

»Du bist eine echte Sahneschnitte, zweifelsohne. Aber ich könnte kein Auge zumachen, wenn du nachts neben mir liegst.«

»Das müsstest du auch nicht!«, haucht sie mir her und greift erneut nach meiner Hand.

»Warum hat sich dein Klaus eigentlich erhängt?«

»Na, weil ich ihm gesagt habe, dass ich ihn nicht mehr liebe. Dass ich dich will!«, flüstert sie durch ihren Tränenvorhang. Ich muss sehr mit mir kämpfen, ihr nicht das Gesicht trocken zu schlecken. Sie ist zum Niederknien.

Nur ein einziger Gedanke hält mich davon ab. Der Gedanke von einem Eberhofer Franz auf dem Kanapee und mit einem Dolch zwischen den Schultern.

»Der Klaus hat noch eine Lebenserwartung von circa fünf Jahren gehabt. Tablettensucht. Leber so groß wie ein Medizinball. Auch das steht in den Akten, Süße. Er hat sich nicht wegen dir umgebracht, das warst du ihm gar nicht mehr wert. Nur die Gewissheit, nicht mehr lebend aus dem Knast zu kommen, hat ihn dazu getrieben!«

Ich steh auf, weil jetzt alles gesagt ist.

»Eine Zeit lang war es ehrlich schön«, sagt sie so zum Abschied.

»Ehrlich schön war es nie. Wenn, dann war es verlogen schön«, sag ich und muss grinsen.

»Aber auf jeden Fall war es schön!«

Auf dem Heimweg fahr ich bei der Mooshammer Liesl vorbei, um zu verhindern, dass sie die Sache mit der Rauferei im ganzen Dorf rumerzählt. Sie ist nämlich ein Waschweib sondergleichen, und wenn die Geschichte erst einmal die Runde macht, ist das Weisheitszahnmärchen geschenkt. Wie sich herausstellt, hat der Flötzinger jetzt ein Riesenglück. Weil sich die Liesl nämlich über den Vorfall mit der Hauerei so dermaßen aufgeregt hat, dass sie gleich einen fetten Migräneanfall bekommen hat und somit außer Gefecht war. Wie ich läute, kommt sie zur Tür geschlichen, müde und mit gequälten Gesichtszügen. Und wie ich unter Morddrohungen ihr ewiges Stillschweigen fordere, nickt sie nur kurz und schließt die Tür. Das Versprechen steht, da gibt's keinen Zweifel. Sie ist zwar redselig, aber nicht meineidig.

Ein paar Tage später geh ich abends zum Wolfi und der Papa ist auch da und ratscht mit dem Simmerl. Sie reden über Sauen, wie könnt es anders sein. Schließlich waren die der ganze Lebensinhalt vom Papa, und vom Simmerl sind sie es bis heute.

»Was ist denn mit dem Heizungs-Pfuscher los? Der war ja schon ewig nimmer hier«, fragt mich der Wolfi.

»Weisheitszähne, alle vier«, sag ich und nehm einen Schluck Bier.

»Ist er da nicht ein bisschen spät dran? Die kriegt man doch normal lang vor der Midlifecrisis gezogen«, sagt der Wolfi und grinst.

»Ja, mei. Du weißt doch, dass der Flötzinger immer schon Probleme mit der richtigen Reihenfolge hat.«

»Rat, wer jetzt kommt!«, sagt der Wolfi mit Blick auf die Eingangstür. Ich dreh mich um und die Susi steht im Lokal.

»Hallo Susi«, sagen wir direkt alle vier.

»Setz dich ein bisserl her zu mir, Susi. Der Simmerl mag nur über Sauen reden. Vielleicht fällt dir was Besseres ein«, sagt der Papa und deutet auf einen freien Platz.

»Wir könnten ja über Bullen und Ochsen reden«, ist jetzt der Vorschlag von der Susi und sie schaut mich an.

»Wobei man da schon einen Unterschied machen muss zwischen Bullen und Ochsen«, sagt der Simmerl.

»In manchen Fällen nicht«, sagt die Susi und bestellt sich ein Bier.

»Scheinbar kennt sie sich aus. Sonst noch jemand ein Bier?«, fragt der Wolfi.

»Mir kannst einen Schnaps bringen. Einen doppelten!«, sag ich. Den kipp ich gleich runter, und mit so viel Mut im Bauch frag ich die Susi: »Kennst dich du auch mit Hengsten aus?«.

»Da müsst ich ja eine Stute sein, um so was zu wissen.«

»Ja, aber du kennst dich doch auch mit Bullen und Ochsen aus und bist trotzdem keine Kuh«, sag ich so, und jetzt muss sie lachen.

Der Abend ist gerettet, und wie ich sie hernach heimbring, ist schon fast wieder alles beim Alten und wir schmusen ein bisschen.

Ein paar Tage später hol ich den Flötzinger vom Krankenhaus ab. Und weil er allein daheim ist, lad ich ihn zum Abendessen ein. Seine Schwellungen und Blessuren sind gut verheilt, aber noch deutlich sichtbar. Trotz warmer Temperaturen draußen trägt er ein Hemd mit langen Ärmeln, um das Schlimmste zu vertuschen. Das Gesicht liegt frei, daran ändern auch die paar Bartstoppeln nichts, die er jetzt zur Tarnung trägt. Die Oma macht einen Eintopf ganz weich gekocht, mit Rücksicht auf den zahnkranken Gast.

»Flötzinger, du schaust aus, als ob dich einer verdroschen hätt. Gib's zu! Es war eine Kundschaft, der du die Rechnung gebracht hast«, sagt die Oma und reicht ihm den Teller.

»Weisheitszähne!«, murmelt und deutet der Flötzinger.

Die Oma grinst.

»Wann kommt die Mary heim?«, will der Papa wissen.

»In zwei Wochen«, sagt der Flötzinger.

»Bis dahin dürfte es schon verheilt sein. Auch die Blessuren auf deiner Brust«, sagt der Papa.

Jetzt muss ich vielleicht kurz erklären, dass der Flötzinger ein Hemd trägt aus seiner Jogger-Ära. Weil er aber im Krankenhaus dank null Bewegung und Grießbrei mit Zucker und Zimt ein paar Kilo zugelegt hat, sprengt es ihm jetzt seine Hemdknöpfe auseinander, mein lieber Schwan!

Kurz vor dem Heimgehen sagt er zur Oma, er hätte seine Rechnung im Auto, und die würd er jetzt holen.

»Jetzt gehst schön heim, Flötzinger, und schaust dich im Spiegel an. Dann tust gut nachdenken und schreibst mir eine Rechnung, gell, eine neue!«, sagt die Oma unterm Abräumen, und der Heizungs-Pfuscher ergibt sich.

Kapitel 26

Tags darauf beginnt der Prozess im Fall Mendel/Kleindienst, und es sind drei Verhandlungstage anberaumt. Ich bin natürlich dabei als Hauptbelastungszeuge, ebenfalls der Birkenberger Rudi. Die Verlesung der Anklageschrift ist genauso lange wie ermüdend, und zweimal muss ich den Rudi in die Seite stoßen, weil er eingeschlafen ist. Was im Grunde niemanden stört. Die meisten Richter sind es gewohnt, dass der eine oder andere wegnippt. Anders ist es bei Schnarchern. Weil es halt schon unglaublich stört, wenn sich da jemand gemütlich einen absäbelt, während der restliche Saal krampfhaft versucht, die Augen offen zu halten. Darum ramm ich den Rudi mit meinem Ellbogen und ernte ein dankbares Kopfnicken vom Richter Moratschek.

Der Ferrari erscheint ganz in Schwarz und gibt keinerlei Auskunft. Sie sagt, alles, was der Klaus in seinem Geständnis geschrieben hat, entspricht der Wahrheit. Das Einzige, was sie noch von sich gibt, ist Folgendes: »Mit dem

Tod meines über alles geliebten Gatten hat mein Leben ohnehin keine Freude mehr. Sie können mich gar nicht so sehr bestrafen, wie er es bereits getan hat.« Dann bricht sie in Tränen aus. Sie kann das auf Knopfdruck, wie wir bereits wissen. Und auch hier im Gericht verfehlt es seine Wirkung nicht. Sie bekommt zwei Jahre auf Bewährung und ist somit frei.

In der Gerichtshalle kommt sie zu mir und sagt: »Wann kann ich das Klärchen abholen?«

Ihr Tonfall ist kalt und blasiert.

Kein Dankeschön, kein lieber Blick, noch nicht mal ein winziges Tränlein.

»Ja, das ist jetzt so eine Sache«, sag ich und runzele die Stirn.

»Was für eine Sache denn? Hast du die Frage nicht verstanden? Ich will wissen, wann ich den Hund zurückhaben kann! Das müsstest doch sogar du kapieren!«

In ihren Augen explodieren tausend Handgranaten.

»Ja, weißt du, der Ludwig ... wie soll ich jetzt sagen ...«, sag ich so und leck mir ganz langsam über die Lippen.

Ihr stockt der Atem.

»Was ... was soll das heißen, Franz?«, sie ist jetzt schrill und laut und ein bisschen hysterisch.

Ich zuck mit den Schultern.

»Er hat sie gefressen!«, schreit sie und schlägt mit den Fäusten wie wild auf mich ein.

»Dein blödes Monster hat mein Klärchen gefressen!«

Zu meinem Glück sind die Kollegen nicht fern und gewähren ihr Einhalt. Zum weiteren Glück sind auch Journalisten in der Nähe und machen ganz viele erstklassige Fotos, ein paar Interviews und ein Angebot über die Exklusivrechte an der Geschichte. Der Rudi und ich genießen die Lage, schließlich haben wir fast unseren ganzen Urlaub der Aufklärung dieses Falles gewidmet. Am Schluss kommt der Dr. Dr. Spechtl und schüttelt mir die Hand.

»Sonderbare Frau, diese Kleindienst. Undurchschaubar mit einem Hang zum Heuchlerischen. Aber erstklassige Ohrläppchen!«

Ja, der Spechtl kennt sich halt aus.

Schon am nächsten Tag sind die Zeitungen voll von uns. Der Birkenberger und ich in jeder erdenklichen Pose vor, hinter und in dem Gerichtsgebäude. Mit großartigen Fotos und ausführlichen Berichten. Ja, gut, die eine oder andere Überschrift hätte es vielleicht nicht gebraucht: »Ermittler tauschen Romantikurlaub gegen Mordaufklärung.« Wirft ein völlig falsches Bild auf die Sache, aber was soll's.

Die Oma schneidet alles aus, was sie findet, und klebt es an die Küchenwand. Der Leopold kommt und macht ein dümmliches Gesicht und einige Kommentare, die ich hier gar nicht weiter erwähnen mag. Dann zieht er ein Ultraschallbild aus der Jackentasche und klebt es daneben. Das ist sein Fötus, sagt er. Voraussichtlicher Geburtstermin 25. März. Wenn alles gut geht, landet die dazugehörige Mutter kurz vor Weihnachten in Deutschland. Mitsamt ihren Eltern, weil, sagt der Leopold, sie halt noch nicht so ganz volljährig ist. Darum die Eskorte. Kommt pfeilgrad mit Sack und Pack, um hier ihren Balg zu gebären. Also doch! Deswegen die Frage neulich nach dem Bettstadel.

Das ist jetzt wieder typisch Leopold! Dass er mir meine Erfolgsgeschichte ruiniert. Dass ich mich jetzt nicht in aller Seelenruhe auf meinen Lorbeeren ausruhen kann und den einen oder anderen stolzen Blick vom Papa abkrieg. Nein!

Da kommt der blöde Buchhändler mit seinem blöden Fötus und macht alles zunichte. Präsentiert dem Papa die Ankunft seines selbst gemachten Buddhas und der ist hinüber.

Kraxelt auf allen Vieren durch den staubigen Dachboden und sucht das verdammte Kinderbett. Wird dann schließlich fündig und zerrt das verdreckte Teil mit freudestrahlendem Lächeln die schmale Stiege runter. Sitzt dann mit der Mütze auf dem Schoß auf der Couch und betrachtet das Bild des nagelneuen Eberhofers. Zum Kotzen.

Beim Abendessen erzählt der Leopold, dass er seine thailändische Roxana heiratet, sobald er von der rumänischen geschieden ist. Wenn das keine Freude ist! Es gibt ein Wammerl mit Kraut und das tröstet mich einigermaßen über seine Anwesenheit hinweg.

Dann ruft der Birkenberger an und ich nutze die Gelegenheit zur Flucht. Ich geh in den Saustall zum Telefonieren und es ist schön, eine andere als die gesülzte Stimme von der alten Schleimsau zu hören.

»Was sagst du zu den Berichten, Franz?«, fragt der Rudi.

»Ausgezeichnete Fotos«, sag ich. »Wobei: die eine oder andere Überschrift hätten sie sich wirklich sparen können.«

»Ich find grad die Überschriften wunderbar, Schatz!«

Der Birkenberger lacht sein dreckigstes Lachen.

Dann erzählt er, dass seine Auftragslage vortrefflich ist, weil praktisch die Zeitungsartikel eine Werbung im ganz großen Stil sind. Und eine kostenlose noch dazu. Außerdem hätte er ein Angebot von einer Illustrierten, für ein bis zwei Tage nach Mallorca zu fliegen, und dort seine und meine Geschichte zu erzählen, vor Ort sozusagen. Er fragt, ob ich mit will. Wieder in unser Hotel. Er lacht.

Nein, ich will nicht mit. Auf gar keinen Fall.

Er meldet sich, wenn er zurück ist, sagt er, und legt auf.

Vom Wohnhaus rüber laufen jetzt die Beatles, so laut wie immer. Ich würd jetzt gern den Plattenspieler abknallen. Da ich aber nicht garantieren kann, versehentlich den Leopold zu erwischen, lass ich es lieber bleiben.

Eine Woche später ist Volksfest und da geh ich hin. Zuerst mach ich mit der Oma einen Spaziergang durch die Verkaufsbuden und spendier ihr eine Zuckerwatte. Dann will ich ihr ein paar Rosen schießen, aber die Gewehre sind so dermaßen manipuliert, dass ich nix treff. Ich zahl ein Vermögen und schieß und schieß, aber nix. Kein brauchbarer Treffer. Dann ziel ich auf den Schausteller und sag: »Von jeder Farbe eine, mein Freund!«, und krieg von jeder Farbe eine. Die Oma freut sich und ist hinter den Rosen und der Zuckerwatte eigentlich nicht mehr zu sehen.

Später find ich die Familien Simmerl und Flötzinger einträchtig an einem Biertisch sitzen und gesell mich dazu. Der Flötzinger klebt an seiner Mary wie die Warze an der Gisela. Ich frag ihn nach der Rechnung für die Oma und er winkt ab.

»Passt schon, Franz«, sagt er und zwinkert mir zu.

»Das verrechnen wir mit der erstklassigen Betreuung bei meiner schweren Zahnkrankheit.«

Das wird die Oma freuen. Zweitausend Euro für einen Teller Gemüsebatz. Das ist das Geschäft ihres Lebens.

Eine Maß später bringen die Frauen ihre Kinder heim und wir Männer sind allein. Das ist schön, aber leider nicht von allzu langer Dauer.

»Die Oma hat den ganzen Arm voller Rosen gekriegt, und was ist mit mir?«, fragt mich die Susi, die urplötzlich neben mir steht. Sie macht einen Schmollmund allererster Klasse und hat mich schon überredet.

Der Schaustellertyp macht gar keine Faxen, wie ich komm, sondern sagt gleich: »Nimm, was du willst!«

»So macht es aber keinen Spaß«, sag ich, und leg ihm einen Zehner hin.

Die Susi strahlt.

»Warte mal«, sagt der Budenmann, taucht kurz unter und kommt mit einem Gewehr hoch, das vorher noch nicht da war. Damit treff ich ganz einwandfrei, und die Susi kriegt statt ein paar Rosen einen Sibirischen Tiger.

Wie sie sich dann in den frühen Morgenstunden von mir runterrollt, nimmt sie das Plüschtier in den Arm und sagt: »Jetzt hab ich was zum Kuscheln, wenn du mal wieder spinnst.«

»Perfekt«, sag ich.

»Du, Franz, es ist Samstag. Bleibst du heut den ganzen Tag bei mir?«, will sie wissen und beugt sich über mich. Sie schaut unglaublich gut aus mit ihren roten Wangen und den verschlafenen Augen.

»Kann schon sein«, sag ich und küss sie auf die Stirn. Dann schlafen wir ein.

Wie ich am Abend heimkomm, ist der Papa auf einer Demonstration gegen das Rauchverbot im Bierzelt. Was glaubt der eigentlich? Seinen Joint darf er da doch sowieso nicht anzünden.

Die Oma macht uns einen Apfelstrudel mit Vanillesoße, die Rosinen darin in Vogelbeerschnaps getränkt.

Ein Traum!

»Der K & L gibt am Montag zwanzig Prozent auf das gesamte Sortiment. Praktisch auf alles«, schreit sie mir her und deutet auf den Prospekt, der vor ihr liegt.

»Dann müssen wir wohl am Montag zum K & L«, schrei ich zurück und halt den Daumen so nach oben.

Die Oma freut sich.

Dann brech ich auf und geh mit dem Ludwig meine Runde. Es ist schon herbstlich und der Wald ist bunt. Und wir brauchen eins-siebzehn dafür.

Oder hätten wir gebraucht, wenn nicht grad auf den letzten paar Metern eine Riesen-Limousine stehen würde. Ein Alfa-Romeo, schwarz, abgedunkelte Scheiben, italienisches

Kennzeichen, steht da mitten im Wald. Was jetzt aber auch noch nicht das Ding ist.

Was mich wirklich stutzig macht, ist, dass die Fahrertür auf ist und der Kofferraum auch. Ja, gut, so ungewöhnlich ist das jetzt vielleicht noch nicht. Ist der Fahrer halt wohl beim Pinkeln. Wie ich aber nach einer Dreiviertelstunde noch einmal hingeh, ist die Situation unverändert. Türe offen, Kofferraum auch und weit und breit kein Mensch. Und so lang kann kein Mensch nicht pinkeln.

Beim besten Willen nicht!

Aber das ist jetzt wieder eine andere Geschichte.

Glossar

Ich hab mir schon Mühe gegeben, in verständlichen Worten zu erzählen. Trotzdem haben sich unvermeidbarerweise ein paar eher im süddeutschen Raum beheimatete Ausdrücke hineingeschlichen. Manche kann man ganz einfach übersetzen. Bei anderen bedarf's einer Erklärung. Quasi für Leser, die unserer wunderbaren Sprache, aus welchen Gründen auch immer, nicht mächtig sind. Aus reiner Einfallslosigkeit mach ich es alphabetisch.

Flidscherl
Flittchen

Grantig
schlecht gelaunt; saugrantig = besonders schlecht gelaunt; rotzgrantig = unerträglich schlecht gelaunt

Gratler
Der Gratler an sich ist ein eher unbeliebter Zeitgenosse mit der charakterlichen

Tendenz zum Hinterfotzigen und Betrügerischen. Gerne, aber nicht zwingend, findet man ihn am unteren Ende des Sozialthermometers. Der Gratler ist in der Regel fortpflanzungsdienlich (wobei jetzt das Wort dienlich vielleicht fehlbesetzt ist, ich finde aber kein passenderes) und gibt seine Gene häufig an die Nachkommenschaft weiter.

Gschaftelhuber
Wichtigtuer

Herrle
Herrchen; dementsprechend heißt Fraule dann natürlich Frauchen, gell.

Herumschlawenzeln
hat zwei völlig unterschiedliche Bedeutungen. Zum einen kann es heißen: flanieren, umherschlendern, so was in der Art. Zum anderen heißt es: sich jemandem anbiedern, einem in den Arsch kriechen, auf Deutsch halt.

Kartoffelbratl
Ein Kartoffelbratl ist ein Schweinebraten, bei dem die Sau nicht allein in der

Bratreine liegt, sondern auf einem Kartoffelbett. Dieses saugt dann den ganzen Bratensaft auf und schmeckt dementsprechend hammermäßig.

Kartoffelstampf
Stampfkartoffeln

Lamperl
Lamm

Lätschn
Wenn jemand eine Lätschn zieht oder einen Flunsch, macht er ein Gesicht. Ein finsteres oder ein beleidigtes. Ein dümmliches oder ein provokantes. Ein saures oder ein gekränktes. Jedenfalls kein freundliches. Ich persönlich kann es beim besten Willen nicht ertragen, wenn jemand eine Lätschn zieht. Da ist mir ein lautes Wort oder ein Schlag in eben die Lätschn allemal lieber. Ein Großteil der Menschheit aber liebt es, seinem Vis-à-vis mit einer dämlichen Gesichtsgrimasse den Tag zu versauen.

Lüngerl
Lunge, Saures Lüngerl mit Knödel, ein Wahnsinn

Matz
Eine Matz kann praktisch mehrere Funktionen erfüllen und ist überwiegend weiblich und negativ. Wenn man dabei jedoch von einem Mann spricht, hat es durchaus positive Aspekte. Die klassische Matz ist ein Miststück mit dem Hang zur Schlampe. Also die Art von Weib, die auf ihrer eigenen Zielgeraden schon gern mal über Leichen wandert.

Pfui Deife
Pfui Teufel

Pressieren
Wenn's einem pressiert, hat er's eilig. Oder er hat's pressant.

Ratschen
einen Ratsch heraushauen, was man eigentlich mit »sich unterhalten« oder »einen Plausch halten« übersetzen könnte. Aber wie gesagt, nur eigentlich. Weil: wenn man einen Plausch hält, werden

unwichtige Informationen in einer netten Art und Weise unter den Mitmenschen ausgetauscht. Beim Ratschen ist es eher gegenteilig. Da geht's ans Eingemachte. Und die Wortwahl ist, sagen wir, einfältig bis hinein ins Ordinäre. Meistens jedenfalls.

Rotzpoppel

Ein Sekret der Nase, das durch Niesen, Schnäuzen oder eine gewisse Fingerfertigkeit aus derselben entfernt werden kann.

Schleuderaffe

Wenn einer frisst wie ein Schleuderaffe, hat er einen Mordshunger und haut richtig rein. Danach braucht er meistens ein Schnapserl oder zwei.

Schwammerl

Pilze

Spansau

Spanschwein

Zerdatscht

zerquetscht

Aus dem Kochbuch von der Oma, anno 1937

Kartoffelknödel

(Zubereitung sommers
wie winters gleich)

150 Gramm fein geschnittene Semmeln werden in etwas Milch gut eingeweicht.
600 Gramm rohe Kartoffeln werden geschält, sauber gewaschen und dann auf dem Reibeisen gerieben. Hernach drückt man sie durch ein sauberes weißes Tuch fest aus, gibt ein Ei und etwas Salz dazu und knetet sie mit den eingeweichten Semmeln gut durcheinander. Mit in Wasser getauchten Händen formt man die Knödel heraus, welche man in siedendes Wasser gibt und eine halbe Stunde köcheln lässt.

Natürlich ist diese Mengenangabe für eine eher kleine Familie. Für uns nimmt die Oma schon gut das Doppelte. Wenn die alte Schleimsau in unsere heiligen Hallen einfällt, ist sogar gut das

Dreifache drin. Dann dreht die Oma den ganzen Vormittag Knödel, dass es ihr schon ganz schwindelig wird.

Gebratene Gans

Die Gänse kauft man gerupft und ausgenommen. Man achtet darauf, dass sie kurze Füße und eine zarte weiße Haut haben. Nachdem man Gurgel und Kropf entfernt hat, wird die Gans mit frischem Wasser einige Male gut gewaschen, dann getrocknet, mit Salz, Pfeffer und Majoran innen und außen gut eingerieben und in die Bratreine mit etwas Wasser gegeben und unter fleißigem Begießen langsam von allen Seiten lichtbraun gebraten. Das reichlich ablaufende Fett schöpft man ab, bevor es braun wird, und gießt dafür etwas Brühe nach. Die Gans wird rötlich, wenn man sie am Schluss mit Butter übergießt. Ein junges Tier braucht 11/2 Stunden zum Garwerden.

Und diese eineinhalb Stunden sind die Hölle. Weil das Viech nämlich, sobald es in der Röhre ist, so dermaßen gut riecht, sogar bis zum Saustall rüber, dass dir der Zahn tropft. Und weil es ein Ganserl bei uns nur an Weihnachten und zu Kirchweih gibt, ist es dann schon eine elen-

dige Quälerei, bis du endlich vor dem Teller hockst und loslegen kannst.

Schweinebraten

Man reibt einen Schlegel, eine Lende oder ein Rippenstück gut mit Salz und Pfeffer und nach Bedarf mit Knoblauch und Kümmel ein und lässt es ein paar Stunden liegen. Dann gibt man es mit etwas Wasser, jeweils einer fein gehackten Zwiebel und gelben Rübe sowie etwas harter Brotrinde in der Reine ins Bratrohr und begießt es fleißig. Wird mit Schwarte gebraten, so wird die Hautseite gegen unten gelegt und wenn sie weichgekocht ist, umgekehrt und mit einem scharfen Messer grobwürfelig eingeschnitten und bei fleißigem Begießen mit Wasser oder Bier lichtbraun und rösch gebraten. Ein Schlegel braucht 2 bis 3 Stunden. Den Sud durch ein Sieb gedrückt ergibt die feine Soße.

Wird mit Schwarte gebraten ... als ob das zur Debatte stehen würde.
Und das mit der feinen Soße stimmt natürlich auch nur, wenn man mit Bier aufgießt. Das mit dem Wasser ist ein Schmarrn. Am besten ist ein Dunkelbier. Dann ist die Soße schwarz

und würzig. Anders ist es bei einem Kartoffelbratl. Da kann man gut mit Wasser aufgießen, weil man so dermaßen viel Flüssigkeit dazu braucht, damit die Kartoffeln auch gut saugen, dass man bei Bier schon einen ziemlichen Zacken hätte, glaub ich.

Fleischpflanzerl

Man braucht 250 Gramm Rindfleisch oder Kalbfleisch sowie 250 Gramm Schweinefleisch gut und frisch durch den Fleischwolf gedreht. Dann befeuchtet man 60 Gramm Semmelbrösel mit Milch, gibt fein gewiegte Petersilie, Zitronenschale und Zwiebel sowie Salz, Pfeffer, Muskatnuss und 1 bis 2 Eier dazu und mischt es mit dem Fleisch gut durch. Dann formt man mit nassen Händen Knödel und drückt sie flach. Die Pflanzerl werden in einer Pfanne mit Butter auf beiden Seiten scharf angebraten und serviert, wenn sie eine röschbraune Farbe haben.

Würde jemals ein Herr McDonald's die Fleischpflanzerl von der Oma probieren, würde er sofort all seine Filialen schließen. Und zwar weltweit. Mehr gibt's dazu nicht zu sagen.

Apfelstrudel

Man nimmt auf das Nudelbrett 200 Gramm Mehl, ein nussgroßes Stück Butter, 1 Ei, etwas Salz und 3 bis 4 Esslöffel lauwarmes Wasser und arbeitet den Teig mit dem Handballen recht fein durch, bis er sich von Hand und Brett löst. Nun bestäubt man das Brett mit etwas Mehl, bestreicht den Teig mit warmem Wasser, deckt ihn mit einem Schüsselchen zu und lässt ihn 1/2 bis 1 Stunde ruhen. Sodann wird ein Tuch über den Tisch gedeckt und mit Mehl bestäubt. Man gibt den Teig in die Mitte und bearbeitet ihn zuerst mit dem Nudelholz. Dann wird er mit beiden Händen vorsichtig ausgezogen, so lange, bis er wie ein feines Papier wird. Mit zerlassener, aber nicht heißer Butter und saurem Rahm bestreichen und reichlich mit Rosinen und geschälten, ganz fein geschnittenen Äpfeln belegen und mit gestoßenem Zucker bestreuen. Dann wird das Tuch auf einer Seite mit beiden Händen in die Höhe genommen und der Strudel über sich ablaufend nicht zu eng gerollt. Vorher gibt man in die Bratreine etwas siedende

Milch mit Zucker und 1 Stück Butter. Da hinein gibt man den Strudel sofort, sowie er gerollt ist. Mit zerlassener Butter bestreichen und backen, bis er eine lichtbraune Farbe hat.

Wenn der Strudel frisch dampfend aus dem Ofen kommt, sagt die Oma immer: Warte Bub, der ist noch viel zu heiß, du verbrennst dir die Zunge. Aber der Bub wartet nicht, weil er es einfach nicht aushalten kann. Und verbrennt sich natürlich die Zunge. Und die tut dann tagelang weh. Drum bin ich eigentlich nicht so scharf auf Apfelstrudel. Auch wenn er noch so lecker ist.

Und jetzt noch eine ausführliche Vita der Autorin – und alles, was man über Niederkaltenkirchen wissen sollte

So, liebe Leserinnen und Leser, Ihr möchtet, dass ich ein bisschen von meinem Leben erzähl, dann fang ich mal an.

Am 30. Mai 1964 in der oberbayerischen Gemeinde Oberammergau geboren, bin ich dort auch bis zu meinem achten Lebensjahr aufgewachsen. Für meine Eltern kam ich zu einem relativ ungünstigen Moment, sagen wir einmal: mindestens zehn Jahre zu früh. Mein Vater studierte in München, und meine Mutter musste in Vollzeit unser Überleben sichern. Mir persönlich war das aber wurst. Ich verbrachte meine ersten Lebensjahre umrahmt von Bergen und Wiesen, wie es idyllischer gar nicht hätte sein können, mit meinen stundenweise anwesenden Erzeugern und meiner Oma. Meiner geliebten Oma. Die war früh Witwe geworden und konnte jetzt ungehindert all ihre Liebe in mich fließen lassen. Das war großartig. Weniger großartig war es dann aber, als mein Vater sein Studium beendet hatte und einen ganz tollen Job in München bekam. Weil nun hieß es für mich: Gummistiefel und Abendmesseläuten ade und rein in die stinkende Großstadt mit einem eingezäunten Spielplatz vorm Wohnblock. Von der Sehnsucht nach meiner Oma mag ich gar nicht reden.

Zum Glück war der Münchener Aufenthalt auf ein Jahr begrenzt, und so zog es uns weiter nach Landshut, wo auch ein Haus gekauft wurde mitsamt Garten. Weil das Kind (also ich) nicht blöd war, musste es natürlich aufs Gymnasium. Und zwar aufs humanistische, da mein Vater nämlich beschlossen hatte, jetzt auch noch Latein zu lernen. Und da bot sich das ja geradezu an, oder? Am Ende haben weder mein Vater noch ich Latein gelernt, und nach fünf Jahren waren meine Noten, ja sagen wir einmal, nicht so der Brüller. Alle, außer die in Deutsch. Meine Lehrerin hat meine Aufsätze immer vorgelesen und gefragt: »Wo nimmst du das bloß her?« Leider hat mich diese wunderbare Frau aber nicht bis zum Abi mitschleppen können, und so hab ich dann eine Lehre begonnen, meinen Jugendfreund geheiratet und Kinder bekommen. Um es kurz zu machen: Die Ehe hat nicht gehalten, wir haben uns getrennt, als die Kinder noch sehr klein waren, und der liebe Gott war gnädig und hat mir bald sein bestes verfügbares Exemplar gesandt. Das ist bis heute mein Gatte, mein bester Freund, mein erster Kritiker allabendlich bei heimischen Vorlesungen meines Tagwerks und mein privater Ratgeber in allen polizeitechnischen Fragen. Ein Volltreffer sozusagen. Dreamteam.

Geschrieben hab ich immer schon. Das hat mich beruhigt und in eine andere Welt gebeamt. Ich habe Unmengen von Gedichten geschrieben, weil man da auf ganz wenigen Zeilen die großen Gefühle ausleben oder der Menschheit ans Bein pissen kann. Grad wie man halt will.

Nach Bergen von Büchern, die ich gelesen und für schlecht befunden habe, hatte ich irgendwann den Eindruck: Schlechte Bücher schreiben kann ich auch. Vielleicht schaff ich es sogar, gute Bücher zu schreiben. Oder wenigstens lustige. Dann bin ich an den Schreibtisch und der Franz hat sich zu mir gesetzt. Und so haben wir angefangen.

Warum ich aus der Sicht eines Mannes schreibe, ist, weil ich Frauenromane nicht mag. Weil ich denke, dass ein Leben zwischen Cellulite-Creme und Kindergeburtstag nicht unbedingt schriftlich festgehalten und der Nachwelt vermittelt werden muss. Drum eben der Franz. Weil sich der auf die wirklich wesentlichen Dinge beschränkt. So wie Männer das halt mal tun.

Und dann noch was zu Niederkaltenkirchen und den Menschen, die dort leben. Also, Niederkaltenkirchen ist erfunden und trotzdem tausendfach vorhanden. Jedes x-beliebige Dorf tickt so. Eingebettet zwischen hügeligen, bunten Feldern und Mischwäldern liegt es da mit seiner Dorfkirche, einigen alten Bauernhöfen, einer Dorfstraße mit schönen alten farbigen Häusern mit Stuckzierleiste. Am Dorfrand ein Neubaugebiet, weil der Grund halt billig ist. Der Bürgermeister, der Pfarrer und der Gendarm zählen noch was. Es gibt den Wolfi, der hat ein Pub mitten im Dorf, da trifft man sich auf ein Bier und richtet die Leute aus. Und es gibt das Vereinsheim Rot-Weiß. Da redet man dann über Fußball logischerweise. Es gibt die Landfrauen und die Mooshammer Liesl, das dorfeigene Megaphon. Sein Fleisch kauft man beim Simmerl, weil der den besten Leberkäs macht weit und breit. Und die Heizung repariert der Flötzinger, obwohl er ein Blutsauger ist, ein elendiger. Wie gesagt, es ist alles authentisch hier in Niederkaltenkirchen, und so muss es ja sein.

Danksagung

Bedanken möchte ich mich bei:

Vanessa Gutenkunst, die mich entdeckt hat. Die Zusammenarbeit mit ihr macht einfach Spaß.

Georg Simader, der mich mit einer Engelsgeduld beraten und schließlich an einen wunderbaren Verlag vermittelt hat.

Bianca Dombrowa, die mich herzlich bei dtv aufgenommen und großartig betreut hat.

Uschi Blumtritt, die mich in langen Nächten konstruktiv kritisiert und somit enorm motiviert hat.

Und nicht zuletzt bei meinem Mann Robert, der mich in polizeitechnischen Fragen bestens beraten hat und an vielen Ideen maßgeblich beteiligt war.

Ausführliche Informationen über
unsere Autoren und Bücher
finden Sie auf unserer Website
www.dtv.de

Ungekürzte Neuausgabe 2013
2. Auflage 2014

Umschlagkonzept: Balk & Brumshagen
Umschlaggestaltung: Lisa Höfner
unter Verwendung von Fotos von
plainpicture/Thordis Rüggeberg
und gettyimages/Gregor Schuster
Satz: Greiner & Reichel
Druck und Bindung: Kösel, Krugzell
Gedruckt auf säurefreiem, chlorfrei gebleichtem Papier
Printed in Germany · ISBN 978-3-423-21902-0